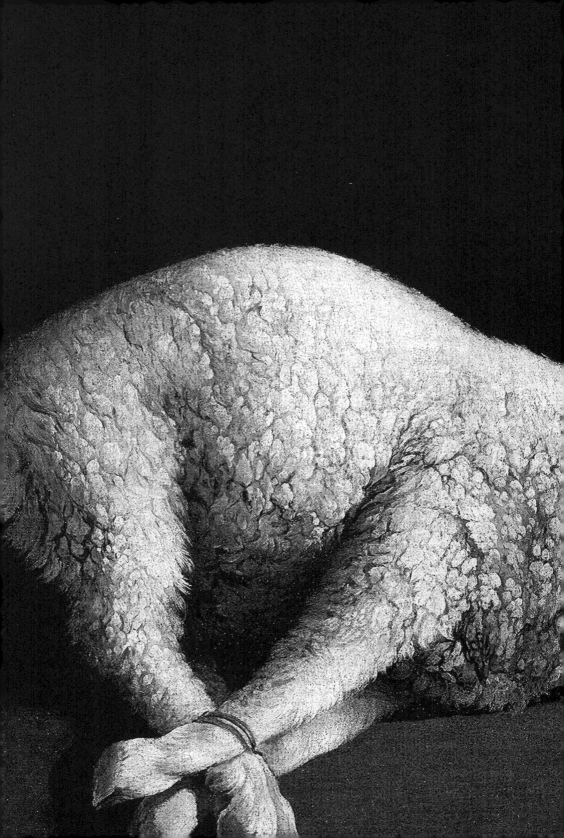

Name Gary M. Heidnik
Number 51395

CRIME SCENE
DARKSIDE

CELLAR OF HORROR: THE STORY OF GARY HEIDNIK
Copyright © 1988 by Ken Englade
Published by arrangement with St. Martin's
Publishing Group. All rights reserved.

Arte da capa © Lamb of God (Agnus Dei),
de Francisco de Zurbarák

Tradução para a língua portuguesa
© Diego Gerlach, 2021

Diretor Editorial
Christiano Menezes

Diretor Comercial
Chico de Assis

Gerente Comercial
Giselle Leitão

Gerente de Marketing Digital
Mike Ribera

Gerentes Editoriais
Bruno Dorigatti
Marcia Heloisa

Editor
Lielson Zeni

Adaptação de Capa e Projeto Gráfico
Retina 78

Coordenador de Arte
Arthur Moraes

Coordenador de Diagramação
Sergio Chaves

Designer Assistente
Balão Editorial

Finalização
Sandro Tagliamento

Preparação
Lucio Medeiros
Retina Conteúdo

Revisão
Vinicius Tomazinho
Talita Grass

Impressão e acabamento
Ipsis Gráfica

DADOS INTERNACIONAIS DE CATALOGAÇÃO NA PUBLICAÇÃO (CIP)
Jéssica de Oliveira Molinari – CRB-8/9852

Englade, Ken
    Heidnik profile : cordeiro assassino / Ken Englade ; tradução
de Diego Gerlach. — Rio de Janeiro : DarkSide Books, 2021.
304 p.

    ISBN: 978-65-5598-142-1
    Título original: Cellar of Horror

    1. Heidnik, Gary – 1943-1999 2. Crimes seriais – Filadelfia
I. Título II. Gerlach, Diego

21-4124   CDD 923.4

Índices para catálogo sistemático:
1. Heidnik, Gary – 1943-1999

[2021]
Todos os direitos desta edição reservados à
DarkSide® *Entretenimento LTDA.*
Rua General Roca, 935/504 – Tijuca
20521-071 – Rio de Janeiro – RJ – Brasil
www.darksidebooks.com

CORDEIRO ASSASSINO
HEIDNIK

KEN ENGLADE

Tradução
Diego Gerlach

DARKSIDE

CORDEIRO ASSASSINO PROFILE

HEIDNIK

Introdução		11
Prólogo		25
1.	**Carcaça**	29
2.	**Chave**	35
3.	**Novembro**	39
4.	**Rádio**	43
5.	**Exército**	47
6.	**Carta**	51
7.	**Mudez**	55
8.	**Igreja**	61
9.	**Grafia**	65
10.	**Sequestro**	71
11.	**Detento**	75
12.	**Sanduíches**	81
13.	**Sexo**	85
14.	**Ração**	89
15.	**Casamento**	93
16.	**Posses**	99
17.	**Processador**	107
18.	**Choque**	113
19.	**Freezer**	117
20.	**Fuga**	121
21.	**Livres**	125
22.	**Manchetes**	129
23.	**Inventário**	133
24.	**Acusação**	139
25.	**Defesa**	145

26. **Provas** *149*
27. **Falência** *155*
28. **Advogado** *161*
29. **A Juíza** *165*
30. **Cookie** *169*
31. **Roupas** *173*
32. **Sala 653** *177*
33. **Venire** *181*
34. **Seleção** *185*
35. **Pittsburgh** *189*
36. **Jurados** *193*
37. **Suor** *203*
38. **Testemunhas** *207*
39. **Peruca** *213*
40. **Repórteres** *217*
41. **Panela** *223*
42. **Psiquiatra** *227*
43. **Promotores** *235*
44. **Registros** *239*
45. **Protocolo** *245*
46. **Insanidade** *251*
47. **Esquizofrenia** *257*
48. **Investimentos** *261*
49. **Clorpromazina** *265*
50. **Arguições** *271*
51. **Quadro** *277*
52. **Veredito** *281*
53. **Sentença** *285*
54. **Esperando** *289*
    Epílogo *293*

    Cronologia *300*
    Agradecimentos *303*

Para minha amorosa e paciente esposa,
Sara, cujo apoio foi inestimável.

O GRITO DOS INOCENTES:

HEIDNIK E A DIFUSA LINHA DIVISÓRIA
ENTRE LOUCURA E CRUELDADE

Estes são os monstros que povoam nossos filmes e nossos pesadelos.

Palazzo Vecchio, Florença. O homem perfeitamente vestido caminha pelo piso frio de séculos segurando uma taça de vinho. Ele deixa para trás a biblioteca medieval e seus preciosos manuscritos. Também ignora o piano, com uma partitura de Bach, que executará mais tarde para seu próprio prazer e de seus futuros convidados. Ele alcança a cozinha equipada, repousa a taça no tampo de madeira e abre o congelador, tudo isso enquanto recita versos de Ovídio em sua mente. Entre fígado, pulmão e timo, o que se adéqua melhor ao jantar pretendido? O doutor pensa e escolhe, com um sorriso.

Porão de casa suburbana, Belvedere, Ohio. O homem que costura interrompe o trabalho. Um ar gélido vindo do porão passa por seu torso nu e chega à cozinha, encontrando sua liberdade na janela aberta do cômodo imundo e fedorento, com restos de comida alegrando ratazanas e pratos sujos servindo de abrigo para diferentes insetos. Logo depois do vento frio, chega até ele um grito feminino. Sua origem está abaixo do nível do solo, presa em um poço fundo, vitimada e acorrentada. Delirante, o costureiro devolve o grito e então retoma o trabalho, fazendo para si um vestido de pele humana.

Cozinha de um sobrado rural, interior do Texas. O animal humano não consegue falar qualquer língua conhecida, calcular números ou limpar a imundície dos próprios dejetos. Reduzido a condição bestial, após anos de gritos, maus-tratos e violência, a besta não tem nome, rosto ou identidade. Ele não sabe quem é. Mas sabe o que precisa fazer. Vovô tem fome, bem como os outros integrantes de sua horda familiar. Há corpos a serem capturados, pendurados e estripados, para então se tornar a mais primitiva das necessidades: alimento. O homem que persegue sua presa hasteando uma serra elétrica não tem um rosto. Mas não há problema. Há anos, ele construiu uma face para si. E a vestiu.

Essa tríade cinematográfica ilustra um par de elementos culturais onipresentes em nossa sociedade. Primeiro, a obsessão que o tema de assassinos em série, psicopatas e doentes violentos gerou no mundo moderno, culminando no seu subproduto mais popular, sobretudo no contexto hollywoodiano estadunidense. Segundo, a gradação simbólica que essas figuras de ficção receberam na cultura pop. Hannibal Lecter representa o ápice da educação e do bom gosto. Búfalo Bill ilustra o comportamento psicopata e psicótico por parte do doente mental que força a realidade a moldar-se à sua delirante existência. Leatherface, por fim, dramatiza um primitivo instinto de violência em busca de alimento, família e dominação.

De um extremo a outro do espectro, esses monstros ficcionais revelam as inegáveis obsessões de seus criadores — ou seriam de seus consumidores? — diante do problema do mal, um mistério de múltiplos matizes que, em termos narrativos, aproxima cultura, sexualidade, violência, poder e medo. Porém, e aqui não devemos nos enganar, essas criaturas não são de verdade, não existem no mundo *fora* de nós, habitam unicamente os cenários de nossas mentes, histórias e sonhos. Segundo Harold Schechter, são "reflexo não da forma como os *serial killers* realmente são, mas de como eles gostam de imaginar a si mesmos".[1] Em resumo: são criações poéticas, visões artificiais, recriações de possíveis pesadelos narrativos, monstros feitos do mesmo material daqueles seres que desde sempre espreitam embaixo de nossas camas ou no interior de nossos crânios.

O livro que o leitor ou leitora tem agora em mãos não é sobre esses monstros ficcionais. Antes, *Heidnik Profile*, de Ken Englade (1938-2016), é sobre o material real que dá origem aos construtos artificiais de nossos filmes de terror e romances de investigação, de nossos explícitos horrores de entretenimento e estranhos lazeres. No caso do protagonista

---

1   SCHECHTER, Harold. *Serial Killers – Anatomia do Mal*. Tradução de Lucas Magdiel. Rio de Janeiro: DarkSide Books, 2013, p. 43.

desta narrativa, o norte-americano Gary Michael Heidnik (1943-1999), trata-se de um homem que desafia não apenas a lógica da nossa pretensa e ingênua racionalidade, mas também as próprias definições que ficção e não ficção têm encontrado para monstros como ele. Monstros cinematográficos não são como Heidnik, embora suas histórias de traumas sofridos e infligidos o originem.

O livro de Englade, um velho conhecedor de histórias reais baseadas em medo, violência e traumas, não é sobre um assassino serial típico, tendo Heidnik feito apenas duas vítimas e de forma acidental, ao que tudo indica. Este homem também não foi motivado por delírios de grandeza, inadequações corporais ou visões religiosas, embora esses elementos se façam presentes em sua mórbida biografia. Por fim, não falamos de um criminoso educado, refinado ou sofisticado. Ao contrário; embora também nisso ele desafie nossa compreensão, se mostrando um homem de inteligência contumaz e raro faro financeiro e administrativo. Assim, o que explicaria Heidnik? Essa parece ser a pergunta que o autor deste livro faz a leitoras e leitores ao virar a primeira página, pergunta direcionada a mim e a você.

Assim, ao avançar nessa jornada noite e alma adentro, somos convidados a invadir a antessala do "Porão do Terror", um construto narrativo gélido, assustador e terrível, oriundo da mesa de trabalho do jornalista e pesquisador investigativo Ken Englade. Aqui o tema central é a mente doentia e os crimes hediondos de Gary Heidnik, monstro real cujas diferentes facetas psicológicas inspiraram Thomas Harris a criar Búfalo Bill e outros de seus assassinos ficcionais. Na primeira parte da narrativa, Englade faz justamente isso, fornecendo aos leitores um acidentado, turbulento e assustador percurso pela biografia de Gary, encontrando nele as fórmulas mais típicas de um doentio e disfuncional construto social e familiar.

A vida de Heidnik é um laboratório de opressão e doença, abandono e violência, o tornando um modelo de assassino violento. Nele, problemas mentais, permeados por medicação pesada e dissimulação, conflitos familiares traumáticos e abandono afetivo, inadequação escolar e profissional, inteligência pragmática e financeira digna de nota, permeada por oportunismo monetário e exploração alheia, além de recorrentes registros hospitalares, ora como paciente, ora como enfermeiro — formação adquirida em rápida passagem pelo exército — dão origem a um maníaco esquizoide com tendências suicidas, maníaco esse que almejaria a criação de uma bizarra família formada de esposas escravizadas e filhos animalizados, todos aprisionados no seu porão.

Falamos "maníaco", se confiarmos nos inúmeros diagnósticos médicos de sua condição mental, diagnósticos que sempre deixam em aberto se estamos diante do caso típico de transtorno mental originado de traumas de infância ou de puro e sórdido fingimento para a obtenção de favores sexuais ou benefícios sociais, em constante variação entre oportunismo financeiro e esperteza estelionatária. Em suma, há um ar de completa enganação e lorota, dissimulação e embuste, que compreende a biografia inteira de Heidnik. Até aqui, sua história já seria digna de nota. Mas ela também culmina em um improvável intento messiânico e religioso, o emparelhando a outros maníacos como Charles Mason e Jim Jones, que culminaria na criação de uma igreja particular mentirosa e falsa, com face de religião e alma de seita.

Dominado por pretensões espiritualistas e delírios proféticos, Heidnik fundaria em 1971 a Igreja Unida dos Ministros de Deus. A organização chegou a contar com capital financeiro inacreditável, embora fosse suspeita em todas as suas não práticas, não passando de fachada para cooptar investimentos e burlar impostos. Apesar desse intento, Heidnik nunca enganou qualquer conhecido seu por muito tempo. Aos que tiveram contato com ele, afirmam que não passava de mentiroso compulsivo, falsário recorrente e vagabundo oportunista.

Essa ambiguidade entre o que seria loucura e o que constituiria uma inteligência acima da média é exemplificada, embora de modo assustador, pela lógica pragmática de Heidnik no que tange à alteração da chave de casa, episódio descrito por Englade com sombria objetividade logo no segundo capítulo de sua horrenda maquinaria jornalística. Falo de um preparativo que denuncia a frieza racional e a ponderada estratégia desse algoz na proteção da privacidade, além da dificuldade que as vítimas teriam em sobreviver em sua companhia.

Se, por um lado, a inteligência é digna de nota, o mesmo não podemos dizer da vida pessoal. Heidnik resulta de um lar desfeito e refeito muitas vezes, após uma infância de abandono e trauma, vitimado pelo pai, disciplinador rígido e violento, e pela mãe, alcoólatra e abusiva, com tendências maníaco-depressivas que resultaram em suicídio. Na vida adulta, esse histórico resultou em afetos inexistentes, com exceção de sua única esposa — que o deixaria anos depois, fortalecendo sua precariedade familiar e sua fragilidade emocional —, relações conflituosas, abandonos recorrentes e uso de serviços sexuais, serviços que serviriam para, anos depois, cooptar e sequestrar suas vítimas.

Essa é a biografia, tortuosa, sofrida e violenta, a que Englade dedica diversos capítulos da narrativa, os entrecruzando com o período aterrador que vai de 26 de novembro de 1986 até 25 de março de 1987. Nesse período, que serve de ápice aos seus anos de formação como maníaco, abusador e estelionatário, Gary Heidnik decidiu aprisionar seis mulheres no porão de casa. Nas profundezas de seus domínios, em meio a uma vizinhança algo apática, iria torturá-las, violentá--las e humilhá-las, jogando-as em um poço fétido que havia cavado com as próprias mãos; tudo em prol de seu sonho de fundar em seus subterrâneos um reino de mulheres e filhos aprisionados, que teriam ele próprio como rei.

Essa história de poder, sexo, morte e violência, é contada por Englade no decorrer dos mais de cinquenta capítulos deste livro. Sem dar respostas definitivas e deixando aos leitores as conclusões sobre a natureza do protagonista, o autor não economiza palavras ou frases para descrever a crueldade e a malignidade que abrangeram as ações do seu retratado. Embora Heidnik não seja um assassino serial estrito senso, há nele um caráter metódico, uma frieza inumana, um comportamento psicopata aproveitador, manipulador e primal, no qual seu principal desejo redundava em uma família aprisionada incapaz de abandoná-lo — um pérfido fim para o qual as vítimas não passariam de meios.

Há partes de *Heidnik Profile* que são assustadoras pela brutalidade infligida a vítimas incapazes, pela violência cruel e covarde, pelo abuso sexual e psicológico, em uma litania terrífica que une abuso físico, violência corporal e tortura psíquica, resultando na série de acusações hediondas que Heidnik escutou diante do júri que o condenaria à morte: "assassinato, sequestro, estupro, agressão, atentado ao pudor, atentado violento ao pudor, cárcere privado, favorecimento de prostituição, crime de ameaça, crime de risco à vida e vilipêndio de cadáver". No caso do último, um conjunto sórdido de ações que envolviam desmembramento, ocultação e consumo de partes dos corpos de suas vítimas.

Entretanto, por mais horrendas e assustadoras que tais informações sejam, Englade adiciona à narrativa outros pavores sociais, políticos, religiosos e midiáticos, originando assim não apenas a biografia de um monstro humano real, mas também dando luz, mesmo que indiretamente, à biografia do mundo que produziu Heidnik, dando a esse homem condições de se manter, de continuar e de prosperar. Um mundo que somente depois de sua prisão, o julgaria, o condenaria e o executaria, mas não sem antes produzir o espetáculo midiático que patrocinadores apreciam e desejam, até um novo monstro ter sua vez nas manchetes.

Em uma passagem particularmente assombrosa, Englade afirma que quando a "notícia" que era Heidnik e seus crimes, além do seu literal Porão de Horrores, "se espalhou, a imprensa foi à loucura". Porque o "Caso Heidnik" unia uma série de tabus sociais e culturais, como morte, violência, sexo, canibalismo, dinheiro e religião, a outros ingredientes valiosos aos telenoticiários de ontem *e* de hoje. Como Englade afirma, quando "O tempo e os desígnios do ramo de notícias" ordenam, a mídia não poupa nada ou ninguém, o bem ou o mal, a vítima ou o executor, tudo vira fomento para o banquete jornalístico do entretenimento midiático.

Essa exploração do medo e do horror pela mídia também nos convida a refletir sobre o papel de determinados megafones de informação tanto na imerecida fama de tais criminosos como também na indireta formação de futuras mentes assassinas, tamanha a exposição desses crimes e a visibilidade dada a seus perpetradores. Não é um tema fácil nem de resolução simples, e Englade parece saber disso, produzindo uma narrativa que resulta crua no que concerne à brutalidade, e também desvela os elementos que são tanto constitutivos quanto resultantes da divulgação e da exploração da violência e da barbárie.

A escolha narrativa do autor também é eficiente ao descrever os demais personagens do drama apavorante e autêntico, tanto de Heidnik quanto das vítimas: além do desprezível "Monstro da Rua Marshall" e do heroísmo, ímpeto e coragem das mulheres que sobreviveram a ele, Englade descreve de forma objetiva e instigante o vaidoso advogado de defesa Charles Peruto, o judicioso e pouco conciliador promotor público Charles Gallagher e a juíza metódica e perspicaz Lynne Abraham, além do grupo de corajosos jurados e especialistas médicos psiquiatras, chamados sobretudo para tentar provar a tese da defensoria de que Heidnik era insano e que, portanto, não mereceria a pena de morte.

É a esse drama, com "réu sinistro", "defensor elegante" e "promotor intenso e solene", que a segunda metade do livro se dedica. Enquanto a primeira apresenta a luta das vítimas contra seu algoz, entrecruzada por remissões biográficas a Heidnik e sua multifacetada biografia como "ex-médico do Exército, ex-enfermeiro, autoproclamado bispo, fundador de uma igreja, pervertido, recluso e exímio manipulador do mercado financeiro".

No centro dessa batalha está Josefina Rivera, a primeira vítima capturada e a primeira a escapar, sendo a principal responsável pela chegada da polícia ao porão do terror e pelo salvamento das outras sobreviventes. Em um dos momentos mais dramáticos do livro, Rivera teria de aprender a "manipular o manipulador", em episódio que testaria os limites da diferenciação entre abuso e cumplicidade. Além dela, Sandra Lindsay e Deborah Dudley também ganham destaque, tanto por não terem sobrevivido aos porões de Heidnik quanto pelo horrendo destino de seus restos mortais.

Felizmente, assim como Rivera, Lisa Thomas, Agnes Adams e Jacquelyn Askins sobreviveriam, mulheres que também dariam seu testemunho e que enfrentariam, face a face, seu carcereiro no banco dos réus. Nesse aspecto, *Heidnik Profile* é um livro corajoso, pois enfrenta o mal perpetrado pela crueldade e pela loucura — tema que permanece em aberto no caso de Heidnik — sem esquecer de que a força, a coragem e a resiliência das seis vítimas, marginalizadas na vida, na morte e na quase morte, permanecem como último legado dessa atroz narrativa de medo, abuso e violência.

A força e a coragem dessas mulheres inspiram debates, reflexões e outros livros e narrativas. No caso das prisioneiras de Heidnik, sobretudo no texto informativo e pujante de Englade, falamos de vítimas que obedeceram aos abusos mais torpes justamente por temerem pela vida, por saberem que sua única chance estava em enganar seu aprisionador, como Rivera fez, ganhando sua confiança. O que essas mulheres aprenderam, naquele imundo subterrâneo, foi a negociar com o carrasco por alimento, água, limpeza e condições mínimas, enquanto eram abusadas, torturadas e ameaçadas.

Felizmente, Englade deixa algumas questões em aberto, como a própria resposta sobre as ações de Heidnik partirem de premeditada crueldade ou de irascível loucura. Ademais, o que esse violentador e assassino faria com sua colônia de crianças subterrâneas? O que teria motivado a mórbida obsessão com o mês de novembro, mês de seu aniversário? Tais perguntas ficam sem resposta, pertencendo ao território dos mistérios sem solução e convidando escritores a buscarem em suas ficções sentidos lógicos que a vida real e seus monstros autênticos não raro carecem. Em ficção, a resposta ao mistério é tão importante quanto o mistério. Na vida, diferentemente, os horrores desafiam qualquer fé, lógica ou explicação.

O que nos leva novamente à cultura popular e seus filmes, séries, livros e quadrinhos, em obras que encontram em monstros como Heidnik fonte de inspiração. E não apenas ele. H.H. Holmes, Albert Fish, Ed Gein, Harvey Murray Glatman, Charles Mason, John Wayne Gacy, Aileen Wuornos e Jeffrey Dahmer, entre outros, passaram dos horrores reais de suas vidas doentias para os espaços míticos do horror moderno. O que sempre nos leva à importante pergunta: seriam essas obras de arte, cultura e ficção popular, exclusivamente sobre eles, os monstros? Caso sim, não estaríamos nós, que as vemos e lemos, também obcecados por essas figuras sofridas, machucadas, violentadas e violentas, essencialmente monstruosas, quando não perversas e demoníacas?

Essas questões apontam para a própria experiência do medo, sentimento identificado por Aristóteles na *Poética*[2] como essencial à experiência estética e definido por H.P. Lovecraft no ensaio sobre horror e literatura[3] como essencial à experiência humana neste planeta. Sim, talvez recorramos a essas histórias *de* monstros, a essas histórias *e* a esses monstros, para experimentarmos, no conforto protetor de nossas poltronas e camas, as casas de abrigo que criamos para nos afastar dos dedos ressequidos da natureza ilusoriamente deixada lá fora, um susto artificial que nos purifique dos nossos próprios terrores. Todavia, há

---

2   ARISTÓTELES, HORÁCIO, LONGINO. *A Poética Clássica.*
     Tradução de Jaime Bruna. São Paulo: Cultrix, 1997.
3   Ensaio publicado em *H.P. Lovecraft: Medo Clássico Volume 2.*
     Tradução de Ramon Mapa. Rio de Janeiro: DarkSide Books, 2021.

uma segunda hipótese para nosso inquietante apreço por tais histórias e monstros, e ela reside no outro elemento da fórmula originalmente proposta por Aristóteles: compaixão.

Talvez, essas histórias, além de nos mostrarem monstros, nos ensinem que podemos sobreviver, através de heróis e heroínas que consigam sobreviver ao fim. No texto "Let's all be final girls"[4], o romancista norte--americano Stephen Graham Jones reflete sobre o verdadeiro sentido de histórias de monstros, histórias que por vezes findam com fortes, corajosas e impetuosas sobreviventes. E isso não serve apenas para *O Massacre da Serra Elétrica* (*The Texas Chain Saw Massacre*, 1974) e *Halloween* (1978), com suas Sally Hardesty (Marilyn Burns) e Laurie Strode (Jamie Lee Curtis), entre outros tantos *slasher movies* e suas "final girls", como também para o premiado e elogiado *O Silêncio dos Inocentes* (The Silence of the Lambs, 1991), filme que não raro é lido de forma errônea, sem o devido destaque ao seu tema mais importante e à sua verdadeira protagonista.

Embora *Silêncio* tenha dado origem a uma febre cultural protago-nizada pela ambígua figura de Hannibal Lecter, resultando em livros, outros filmes e uma série televisiva, Jonathan Demme e Jodie Foster, diretor e atriz, nunca deixaram de enfatizar que o filme era sobre mulheres vivendo em um mundo de homens e tendo de conviver com preconceito, misoginia e violência extrema, simbólica ou real. Para Foster, *O Silêncio dos Inocentes* era sobre uma mulher, Clarice Starling, salvando outra, Catherine Martin, do assassino de mulheres, Búfalo Bill — personagem, criado pelo romancista Thomas Harris, que teve seu *modus operandi* inspirado na história de Heidnik e seu porão de horrores.

Recentemente, a série de televisão *Clarice* (CBS, 2021), criada por Alex Kurtzman e Jenny Lumet e trazendo Rebeca Breeds no papel-tí-tulo, partiu justamente da valorização de personagens femininas e da força das vítimas sobreviventes, que após lidarem com traumas físicos e psicológicos, tinham também de lidar com um mundo e um ambiente familiar que reduziam sua dor a pretenso "vitimismo". Na série, além da

---

4 Ensaio publicado no portal Crimereads.com.
   Acessado em setembro de 2021.

agente federal, sua melhor amiga Ardelia Mapp e a vítima sobrevivente de Bill, Catherine Martin, vividas por Davyn Tyler e Marnee Carpenter, ganham destaque, deixando de lado o famoso psiquiatra assassino.

Assim, a partir dessa percepção, em vez do fascínio por monstros essencialmente masculinos e imbuídos de lógica de objetificação e da exploração de corpos femininos, podemos ajustar nossos dínamos de atenção menos na direção dos algozes e mais para a percepção das vítimas, que sobrevivem à morte por pouco, por sua contumaz capacidade de resistir à fome, ao frio, à loucura e à violência. Em outras palavras, por sua capacidade de viver, capacidade ilustrada de forma poderosa e afiada pela prosa de Ken Englade.

Antes de virar a página, portanto, e de adentrar neste real porão de terror, pavor e medo, revisitemos as histórias de horror que povoam nossos filmes e nossos pesadelos, agora de outra perspectiva, sobretudo para nos prepararmos para o que encontraremos à frente.

Quantico, Central do FBI, Washington. Uma jovem mulher, de baixa estatura e cabelos e olhos castanhos, recebe dos instrutores seu diploma de formatura. Ela tem restos de pólvora na face esquerda, prova do violento ritual de iniciação, quando interrompeu a carreira de costureiro de um assassino de mulheres, quando visitou o calabouço e interagiu com a morte transvestida de carne, gestos e versos humanos. Uma mulher em uma profissão considerada masculina, mulher que é avaliada diariamente, que é cobrada regularmente, que é reduzida à pretensa fragilidade de seu gênero. Clarice Starling dedicará a vida a salvar outras vidas, das garras e presas de monstros humanos que nunca saíram do seu doentio casulo de poder.

Poço de porão de casa suburbana, Belvedere, Ohio. A filha de uma senadora foi capturada, a vida interrompida, amores e sonhos despedaçados, e agora ela está sendo preparada para transmutar-se em um vestido feminino. Mas se recusa a desistir. Em um fétido cenário de horrores, talvez um dos piores já imaginados, exceto quando se sabe que foi inspirado no porão de Gary Heidnik, a jovem espera e planeja. Ela capturará o cão do algoz e, ao ameaçá-lo, negociará sua liberdade. Catherine Martin assim espreita, separando ossos que sirvam de isca, mostrando que a vida não será perdida sem voz, sem gritos, sem luta.

Estrada rural perto de um sobrado, interior do Texas. A sobrevivente corre. Atrás dela, o monstro e a serra elétrica vibram, gritam, pulsam. A jovem está banhada em sangue. Simbolicamente, ela acaba de renascer. Um feto feminino adulto revestido de matérias primitivas que revelam energia, ímpeto, determinação e mistério. Ela corre e grita, o coração bate e as pernas fraquejam. Ela os ignora, parando carros, golpes, ataques. A caminhonete estaca. A jovem vê o homem de máscara de carne humana vindo em sua direção. Ela pula na carroceria e o carro acelera. No amanhecer do massacre, Leatherface chora a fuga da vítima. Fugindo da serra elétrica e da morte, Sally Hardesty transmuta lágrimas em riso. Encarando a morte, ela foge e vive.

Com este livro em mãos, o leitor e a leitora estão prestes a adentrar a antessala do Porão do Terror, um construto narrativo assustador sobre Gary Heidnik de autoria do jornalista Ken Englade. Todavia, este livro também conta outra história: a narrativa verídica de mulheres que sobreviveram, que fugiram, que ousaram dizer não à morte e garantir sua liberdade, e levaram por fim seu abusador à justiça pública e à condenação.

Assim como em nossos filmes e pesadelos, não é apenas a história de um homem perverso e desprezível, de um homem que dedicou a vida à realização de seus desejos mais violentos e animalescos. É também a história de duas mulheres que perderam a vida lutando por sua liberdade e de quatro que sobreviveram.

Falamos de Sandra Lindsay, Deborah Dudley, Jeanete Perkins, Lisa Thomas, Jacqueline Askins, Agnes Adams e Josefina Rivera.

Este livro é também a história dessas mulheres, mulheres reais que, vencendo a morte, fugiram e viveram.

Medo e compaixão. Eis o que eu espero que *Heidnik Profile* desperte em você, leitor ou leitora.

Enéias Tavares
Porto Alegre, setembro de 2021.

Professor de literatura clássica na UFSM, tradutor e escritor. Em 2020, estreou na DarkSide com o romance transmídia *Parthenon Místico*, expandindo o universo da série Brasiliana Steampunk. Para a caveira, organizou também *O Retrato de Dorian Gray* (2021). Mais de sua produção em www.eneiastavares.com.br.

Não temam os que não podem matar a temam aquele que no inferno tanto a matam o corpo, mas alma; pelo contrário, pode fazer perecer alma como o corpo.

— *Mateus 10:28*

PRÓLOGO
10.02.1987

17h05

Julio Aponte balançou a cabeça. "Não", disse, de modo enfático, o policial novato. "Não posso. Não sem consultar meu supervisor."

Fazia frio. Frio demais para ficar tremendo na varanda de uma casa detonada, em um bairro decadente no norte da Filadélfia, batendo boca com um civil. No entanto, Warren Hensman era insistente. Ele próprio fora policial na Califórnia, onde nunca ficava tão frio assim, e queria apenas uma coisa de Aponte: que ele arrombasse uma casa para ver se o sujeito que vivia lá, um esquisitão chamado Gary Heidnik, estava bem.

Hensman e outros vizinhos estavam preocupados. Não viam Heidnik havia vários dias, e um cheiro ruim, ruim *mesmo*, emanava da casa dele. Hensman sabia que Heidnik estava deprimido. Quando a esposa filipina, Betty, o abandonou, no ano anterior, ele tomou de uma só vez a dosagem de Clorpromazina prescrita para um mês e meio — o equivalente a cerca de quarenta vezes a dose letal — e quase morreu. Betty retornou depois, porém partiu novamente. Dessa vez, ao que parece, para sempre. Não sabiam o que Heidnik poderia fazer. Quando o fedor se espalhou da casa para a vizinhança, chamaram a polícia.

O turno de Aponte tinha começado uma hora antes, e já de cara parecia que o dia seria bem meia-boca. Ele patrulhava tranquilamente o setor designado, no notório 26° Distrito (a capital das drogas na Filadélfia), quando o chamaram no rádio.

"Conferir se uma pessoa passa bem na rua Marshall Norte, número 3.520, e se o mau cheiro vem de lá", foi a ordem da central.

Agora que estava lá, o que podia fazer? Dava para ouvir o hard rock tocando no máximo. Apesar da música, quando escutou com atenção, notou o som de algo se mexendo do lado de dentro. Entretanto, ninguém atendeu quando bateu à porta. Foi até uma janela e tentou espiar, mas as cortinas estavam bem esticadas; e os rasgos, cobertos com fita adesiva. Ele caminhou até a esquerda da casa, onde uma entrada para a garagem separava a casa número 3.520 da residência de Hensman, e bateu à porta dos fundos. Novamente, sem resposta. A cortina não estava toda abaixada em uma das janelas dos fundos, e assim era possível enxergar o interior da cozinha. Parecia tudo normal. No fogão, tinha uma panela de sopa grande, com espuma transbordando.

Exceto pelo odor ser particularmente intenso nos fundos, Aponte não percebeu nada atípico. O cheiro era pior do que qualquer outro que já sentira, contudo, nessa vizinhança, nada o surpreendia. Naquele fim de tarde de fevereiro, era só mais uma inconveniência que desejava não ter encontrado, do mesmo modo como gostaria que Hensman parasse de insistir para arrombar a porta, pois seu vizinho apenas queria ser deixado em paz.

Além disso, não era só Hensman. Parada ali, esperando que algo fosse feito, estava Doris Zibulka, vizinha de porta de Heidnik, e mais outros moradores de diferentes pontos da rua. Eles pediam para que o policial Aponte pusesse a porta abaixo.

"O cheiro é tão ruim que faz meus olhos lacrimejarem", reclamou Zibulka, a normalmente jovial mãe de três meninas. "Não consigo cozinhar em casa porque o cheiro me deixa enjoada."

"Sim", concordaram os demais. "Faça alguma coisa. Esse cheiro é como se alguém estivesse queimando corpos."

Aponte olhou para a porta: metal. Conseguiria arrombar? "Sem chance", pensou. Olhou para as janelas: protegidas por robustas grades de ferro contra ladrões. Sem chance também.

"Olha", ele disse, tentando soar razoável, "vou ligar e tentar trazer um supervisor aqui."

Deu meia-volta e caminhou cerca de trinta metros até o carro. Estava explicando o problema ao expedidor da central quando a porta se abriu, e um homem branco, de barba e olhos azuis penetrantes colocou a cabeça para fora. Todos se assustaram.

"Meu Deus!", Hensman falou, aliviado, sorrindo para Gary Heidnik. "Você está bem."

"Claro. Tô bem", Heidnik respondeu amigavelmente, "tá tudo bem."

"Cancelar solicitação", Aponte falou ao rádio.

"Achamos que você tivesse morrido", Hensman falou. "Tem esse cheiro horrível e achamos que fosse você."

"Ah, não, eu tô bem", Heidnik repetiu. "Eu só queimei a janta, só isso."

Aponte olhou para Heidnik. Com certeza, não estava morto. Na verdade, parecia bem saudável. Não estava gritando ou delirando, nem falava coisas sem sentido. Quanto ao cheiro, achou que a explicação foi satisfatória. Afinal, ele próprio viu a panela fervendo. Não se pode prender um sujeito só por ser péssimo cozinheiro.

Aponte suspirou. No fim, tinha sido uma ocorrência simples. Entrou na viatura e foi embora.

Se Aponte tivesse entrado na casa naquele dia, teria tomado o maior susto de sua jovem vida. No porão, ele iria encontrar quatro jovens negras seminuas, amarradas com grossas correntes, feito gado. No forno, teria encontrado uma caixa torácica humana sendo queimada até as cinzas. E, se tivesse espiado o que Heidnik preparava para o "jantar", seu cabelo teria mudado de loiro para branco na hora. Borbulhando na panela, em fogo baixo no fogão de Gary Heidnik, havia a cabeça de outra jovem negra.

"Quando ela apareceu, enquanto a gente subia a escada, ela falou sem parar, sabe, falava rápido pra caramba sobre um cara com três garotas acorrentadas no porão da casa dele e que ela tinha sido mantida em cativeiro por quatro meses... Disse que ele espancava e estuprava elas, fazia que comessem gente morta, um lunático totalmente sem coração, com cachorros no quintal roendo ossos de gente. Achei que ela estava doida. Não acreditei mesmo e ainda não acredito nessa merda."

— **Vincent Nelson**, namorado de Josefina Rivera.

1
CARCAÇA
26.11.1986

Josefina Rivera estava tendo uma noite difícil. Em uma hora seria o Dia de Ação de Graças, mas até aquele momento não havia motivo para agradecer.

Ainda estava aborrecida devido à briga com o namorado, um homem negro de 34 anos chamado Vincent Nelson. Rivera tinha deixado o apartamento num acesso de raiva. Depois, quando voltou para pedir desculpas, começaram outra briga. Foi quando desistiu e foi embora pela segunda vez, seguindo para o trabalho.

Caminhando de um lado para outro na esquina da Terceira com a Girard, ela praguejava e chutava o lixo espalhado pela calçada: copos de café vazios; latas de alumínio brilhantes, que seriam apanhadas feito tesouros pelos vagabundos da vizinhança na ronda noturna; montes de páginas encharcadas pertencentes à edição do *Daily News* daquela tarde, agora reduzidas a uma maçaroca pelo aguaceiro que caiu no começo da noite.

A chuva era o primeiro sinal da frente fria vinda do Canadá, descendo pelo litoral da Costa Leste, trazendo intenso sabor de inverno aos guetos do norte da Filadélfia. Enquanto pulava amarelinha em torno das poças de água suja, se encolhia mais e mais no fino blusão que vestia, buscando abrigo da temperatura em queda.

Durante todo esse tempo, enquanto praguejava por causa de Nelson e do clima, ela se manteve atenta à rua, perceptiva aos carros que reduziam e passavam lentamente, enquanto os motoristas davam uma espiada. Cada vez que algum deles ameaçava parar, ela se esforçava para parecer disposta e abria um sorriso falso, como uma aeromoça.

Os motoristas viam a mulher magra e de visual impactante, metida numa calça jeans coladíssima. Josefina Rivera tinha feições belas e bem definidas, herdadas mais do pai porto-riquenho do que da mãe negra. O nariz era longo e reto, lábios bastante finos, e a pele era de tom escuro. Para sua sorte, a pouca iluminação da rua ocultava as linhas de expressão nos cantos da boca e a opacidade dos olhos; um olhar distante, envelhecido muito além de seus 25 anos. Quando parecia que algum cliente em potencial estava realmente interessado, Rivera acenava com a cabeça rapidamente, fazendo a enorme peruca ondular feito a barriga flácida.

Em geral, ela não tinha problemas em atrair homens, mas aquela noite estava particularmente devagar. Conforme a noite avançava, foi ficando desesperada. Estava frio e úmido naquela esquina sombria, mas ela ainda não podia se dar ao luxo de desistir. Não queria ir embora sem ao menos tentar um último truque rápido. Precisava do dinheiro. Uma rapidinha em algum motel decrépito ou no banco detrás do carro garantiria a noite e renderia dinheiro suficiente para uma boa refeição no Dia do Peru[1].

Quando se aproximava do limite que tinha se imposto e deu meia-volta para cobrir outro trajeto, foi iluminada pelos faróis de um carro que passou por ela e parou logo adiante. Dando uma olhada, arregalou um pouco os olhos ao ver que era um Cadillac Coupe DeVille prateado novo em folha, daqueles com o estepe na traseira.

Enquanto olhava, a janela do carro desceu, e um homem falou com ela. Era um branco, com voz de tom calmo e baixo. "Olá", disse, se inclinando para fora. "Está trabalhando?"

---

1   [Nota do Tradutor, daqui em diante NT] Apelido informal para o feriado de Ação de Graças, porque o peru é o prato principal na festividade.

"Sim", respondeu Rivera, tentando enxergar o interior do carro. Apesar da escuridão, ela percebeu a luz refletindo no pulso esquerdo do homem, onde usava um relógio grande e de aspecto caro.

"Quanto?", ele perguntou em tom amigável.

Ela disse o valor, e ele rebateu a oferta: "Topa por vinte?".

Não demorou a se decidir. Como resposta, abriu a porta e sentou-se no banco do carona, observando as iniciais GMH pintadas na porta em letra cursiva azul. O cheiro dentro do carro era nauseante, um aroma de couro e cera. Fazia apenas nove dias que o Cadillac tinha deixado a revenda.

"Meu nome é Gary", disse o homem.

"Me chamo Nicole", respondeu com seu nome de guerra predileto. Achava que Nicole era um bom nome, muito mais chique que Josefina. Para ela, tinha classe; combinava mais com a imagem de prostituta exótica que tinha de si.

"Preciso fazer uma parada rápida antes", anunciou o homem, enquanto avançava com o carro. Alguns minutos depois, parou no estacionamento lotado do McDonald's.

Entraram juntos e ele comprou café, mas não ofereceu nada para ela. Segurando o café fumegante na mão direita, foi até uma mesa aos fundos do restaurante, de frente para o estacionamento. Ela se sentou numa cadeira de frente para Gary.

No interior iluminado da lanchonete, ela conseguia vê-lo com clareza, prestando atenção à grossa corrente de ouro que enxergava sob a camisa de flanela aberta. Em contraste com a joia e o relógio pesado, que agora conseguia ver se tratar de um Rolex, o homem vestia jaqueta de camurça barata, com franjas de couro nos braços, como aquela do Jon Voight no filme *Perdidos na Noite*.

A jaqueta era manchada, e em alguns pontos a camurça estava gasta, criando pontos brilhantes e irregulares que pareciam buracos de traça. Ele também cheirava a suor e graxa, algo bem perceptível agora que o odor de carro novo não se fazia presente.

Rivera percebeu que o homem não era dos clientes mais limpos com quem já tinha saído. A barba escura era bem aparada, e o cabelo tinha gel, porém dava a impressão de sujo, formando anéis que caíam sobre as orelhas. A camisa parecia um pijama, e a calça jeans, apesar de razoavelmente nova, tinha marcas de óleo e sujeira. Ele tinha mandíbula forte e nariz reto. Sua característica mais marcante era o olhar; não tinha expressão, eram como duas bolas de gude azuis. Olhando para ele, um arrepio lhe subiu pela espinha.

"Qual seu nome?", ela perguntou.

"Já disse", ele falou. "Gary."

"Gary do quê?", ela insistiu.

"Gary Heidnik", ele disse e se pôs em silêncio, enquanto bebia o café quente.

"Vamos", chamou ele após alguns minutos.

"Vamos pra onde?"

"Pra minha casa", respondeu, já caminhando para a porta.

Heidnik saiu do estacionamento e seguiu rumo ao norte, adentrando cada vez mais na área pobre da cidade. Dirigindo em alta velocidade e de modo imprudente pelas ruas cheias de buracos, com um pé no freio e outro no acelerador, Heidnik não falou nada enquanto passavam por fileiras de casas geminadas, quarteirão após quarteirão de residências com calçadas malconservadas.

No passado, essa área da Filadélfia tinha sido o lar de trabalhadores imigrantes, a maioria da Alemanha, que tinham orgulho do bairro e mantinham as ruas tão impecáveis quanto as casas. Quando esses trabalhadores e seus descendentes abandonaram o bairro em favor dos bairros residenciais, os negros e hispânicos que ocuparam a área não se mostraram tão sensíveis.

Por volta de 1986, o bairro recebeu o apelido de "OK Corral"[2] devido a um tiroteio pelo controle do tráfico de drogas ocorrido no meio da rua. Amplamente divulgado pela mídia, o incidente deixou diversas testemunhas feridas, enquanto os responsáveis escaparam ilesos. Em

---

2   [NT] Old Kinserley Corral, ou "Curral do Velho Kinserley", foi um estabelecimento no estado do Arizona, que emprestou o nome a um tiroteio de 1881, ocorrido nas proximidades. O embate, travado entre os irmãos Virgin e Wyatt Earp e um grupo de foras da lei conhecidos como Cowboys, é considerado o mais notório do chamado "Velho Oeste" dos Estados Unidos.

demonstração de orgulho perversa, meliantes da vizinhança costuravam o nome "OK Corral" nas jaquetas e desfilavam orgulhosos, especialmente quando trabalhavam nas esquinas vendendo crack, cocaína e maconha para motoristas.

Quando chegaram na parte norte da rua Marshall, Heidnik virou à esquerda, quase batendo na Chevy estacionada na esquina. As janelas do carro estavam quebradas, as rodas tinham sido removidas. Todas as partes vitais tinham sumido havia tempo. Certa vez, tentaram queimar o veículo, e as marcas das chamas ainda eram visíveis no exterior enferrujado.

Logo depois dessa carcaça, Heidnik virou à esquerda de novo, passou por um vão na cerca de arame e chegou num quintal cheio de lixo. O número no poste da frente era 3.520. Gary Heidnik tinha chegado em casa.

2

CHAVE

26.11.1986

O número 3.520 era uma anomalia. Nas quadras em volta, em todas as direções, não havia nada além de casas geminadas, rua após rua de casas sinistras e decadentes, em seus leitos de morte. Mas a casa de Heidnik era diferente. Além da calçada ser cerca de dez metros mais recuada do que as demais, a residência possuía um lado desobstruído, com espaço suficiente para o pequeno quintal e a entrada que conduzia ao tipo de construção mais raro na vizinhança: a garagem.

No caso de Heidnik, a garagem estava caindo aos pedaços e claramente empenada. Uma estrutura de aparência frágil, feita de madeira velha com arame farpado no topo, para impedir que invasores a escalassem pelo beco. Ele também tinha revestido o interior das portas enferrujadas com metal, depois dos vagabundos da vizinhança terem atirado na construção no verão anterior. Um dos tiros tinha danificado o Cadillac, estacionado dentro da garagem, que era o antecessor de seu carro atual. Ele tinha jurado que aquilo jamais aconteceria de novo. Heidnik era muito apegado a seus carros.

Enquanto ele adentrava a garagem, Rivera percebeu a forma escura ocupando metade do espaço. Era difícil enxergar, mas se tratava de um Rolls-Royce 1971 — o maior orgulho de Heidnik. Pagou 17 mil dólares em dinheiro vivo pelo veículo menos de um ano antes, contudo, após poucos meses na mão dele, já tinha queimado o motor e a transmissão, que depois foi consertada com peças Chevrolet. Insatisfeito também com o sofisticado rádio do veículo, Heidnik instalou um toca-fitas barato sob o painel. Espalhadas pelo chão do Rolls estavam as fitas cassete baratas em que tinha gravado algumas músicas.

Caminhando com passos rápidos em direção à casa, ansioso para se abrigar do vento que aumentava, Heidnik puxou do bolso um anel que torceu até que se transformasse num robusto pedaço de metal com gume serrilhado e irregular. Rivera observou curiosa: "O que é?", perguntou.

"Uma chave", ele resmungou.

"Nunca vi uma chave assim."

"Eu que fiz", Heidnik disse. "Enfiei a chave normal até a metade e aí serrei. A metade da frente fica sempre na fechadura."

"Por quê?", ela quis saber.

"Para que nenhuma chave além dessa consiga abrir a porta", respondeu, abrindo a porta e entrando antes de Rivera na pequena cozinha cujas paredes estavam semicobertas por moedas de baixo valor meticulosa- mente coladas.

"Por aqui", indicou e conduziu ela até a sala de estar com pouca mobília.

Na parede, debaixo da janela gradeada, tinha um sofá puído de cor laranja, manchado e com o encosto afundado. Em frente ao sofá, estava um suporte com o aparelho de som, a TV e o videocassete. Perto do suporte, tinha um armário lotado com dezenas de fitas cassete, todas com etiquetas anotadas à mão.

"Quer ver um filme?", ele perguntou.

Rivera olhou os títulos; pode perceber que ele gostava de filmes pornô, ou de terror, ou comédias água com açúcar. Desinteressada, olhou para o relógio, como uma indireta: "Vamos pular o filme. Não tenho muito tempo".

Percebendo o lampejo de raiva no rosto de Heidnik, logo acrescentou: "Tenho três crianças em casa, e a babá vai embora à meia-noite".

Era mentira, no entanto, ele não sabia disso. Ela estava começando a se sentir desconfortável de verdade e só queria terminar o trabalho, pegar o dinheiro, voltar e tentar resolver o desentendimento com Vincent Nelson outra vez.

"Ok", Heidnik concordou, aparentemente sem se ofender. Deu meia-volta e seguiu por um frágil lance de escadas. Quando passavam pelo corredor estreito, no alto dos degraus, ela precisou olhar uma segunda vez. Ali, em vez de moedas, a parede havia sido parcialmente coberta com notas de 1 e 5 dólares.

"Por aqui", falou Heidnik, abrindo a porta do quarto que tinha cama com colchão d'água, uma penteadeira e duas cadeiras. "Aqui está o dinheiro", ele mexeu no bolso, puxou uma nota de 20 dólares em mau estado, e entregou a Rivera. Sem dizer mais nada, ele tirou a roupa e se deitou na cama.

Rivera colocou o dinheiro em cima da penteadeira, tirou a camiseta e a calça e se juntou a Heidnik.

Após alguns minutos de sexo intenso, mas sem emoção, Heidnik levantou e atravessou o quarto em direção a suas roupas. Rivera também levantou e pegou a camiseta. Após vesti-la, quando estava prestes a pôr a calça, sentiu duas mãos fortes agarrando com força sua garganta. Ao se virar, seu olhar encontrou o de Heidnik; ele parecia mais frio do que nunca. Sem expressão alguma, apertou mais o pescoço dela, sufocando-a lentamente. Quando estava prestes a desmaiar, ela disse que se entregava: "Ok, faço tudo que mandar, mas não me machuca".

Quando Heidnik diminuiu a pressão, Rivera caiu no chão. E, ao cair, percebeu a algema no seu pulso direito.

"Levanta e bota as mãos pra trás", ordenou Heidnik.

Quando obedeceu, Heidnik algemou a outra mão dela. Então, a puxou até a penteadeira, pegou a nota de 20 e a guardou de volta no bolso. Depois, empurrou Rivera para fora do quarto, escada abaixo, através da sala e da cozinha. Abriu outra porta, e ela percebeu um segundo lance de escadas, ainda mais estreito que o anterior e sem corrimão. Empurrou ela de novo, a forçou a entrar numa sala fria, úmida e mal iluminada, com forte cheiro de poeira e mofo. O ar gelado fez Rivera se lembrar de que não vestia nada além da camiseta. Ao tocar os pés no concreto gelado do piso, pulou surpreendida. E começou a tremer.

"Por aqui", Heidnik disse, conduzindo ela na direção do colchão velho e sem roupa de cama, no canto da sala.

"Não enxergo com o olho direito", ela protestou.

"Cala a boca", ele ordenou.

"Minha visão tá embaçada", ela insistiu.

Ele pegou uma ripa de madeira largada no chão entre os escombros. "Se não ficar quieta, vou te bater", ele ameaçou, balançando a ripa.

Ela ficou quieta.

Atravessando a sala, Heidnik pegou uma pequena caixa de papelão e tirou dela uma barra de metal curvada ao meio, formando um U afilado. Observando com atenção, Rivera percebeu que as duas extremidades da barra tinham rosca. Na verdade, o utensílio era um produto industrializado chamado "braçadeira para exaustor". Os mecânicos as prendem na parte de baixo dos carros para fixar e dar apoio ao cano de escapamento dos veículos.

Heidnik enfiou uma extremidade da braçadeira no elo de uma corrente pesada que tirou de outra caixa e colocou a braçadeira no tornozelo de Rivera. Uma barra de metal menor foi encaixada entre as extremidades do U. Ele revirou a caixa de novo e achou dois parafusos, que rosqueou nas extremidades após passar uma supercola. De repente, puxou um secador de cabelo e o apontou na direção da cola, para secar mais rápido. Depois, repetiu todo o procedimento com a segunda braçadeira.

Enquanto Rivera estava em choque e paralisada, Heidnik passou a ponta solta da corrente por cima do cano de cinco polegadas que saía do teto e atravessava toda extensão da sala, até a parede oposta.

Verificando a obra, satisfeito, Heidnik fez um gesto afirmativo. "Senta", disse, apontando o colchão.

Quando Rivera se sentou, ele se espichou ao lado dela, deitou a cabeça em seu colo nu e dormiu.

3
NOVEMBRO
29.11.1961

Gary Heidnik tinha uma coisa com novembro. Coisas importantes aconteciam com ele nesse mês. Foi quando nasceu, em 1943. A primeira vez que foi acusado de um crime foi em novembro de 1978. Oito anos depois, aprisionou Josefina Rivera no mês de novembro. Aprisionaria mais uma mulher antes do fim do mês. E, em novembro de 1961, praticou aquele que pode muito bem ter sido seu último ato convencional. Uma semana após fazer 18 anos, alistou-se no Exército.

Cada um desses eventos foi significativo. Todos traumáticos, sempre marcando um começo ou guinada. Quando dezembro chegou em 1961, 1978 e 1986, foi como se Gary Heidnik renascesse, com sua vida alterada para sempre.

Milhares de adolescentes se alistam no Exército todos os anos. Para a maioria deles, a ocasião mistura alegria e tristeza. Estão crescendo e deixando a família e os amigos, ao menos temporariamente. Entretanto, não havia, nisso, nada de temporário para Gary Heidnik. Quando partiu de Cleveland, Ohio, em direção ao Fort Leonard Wood, no Missouri, a ideia era jamais voltar. Bom, talvez uma vez. Mas apenas por alguns dias. No futuro, contaria aos psiquiatras que o pai brigava com ele e o renegava. O pai admitiu que não se falaram por 25 anos. Ainda não se falavam. Também disse aos repórteres que não tinha nada a ver com o filho. E Gary disse o mesmo em relação a ele. Quando Gary Heidnik foi parar na cadeia, acusado de diversos crimes bárbaros, o pai não teve qualquer compaixão. Se praticou aqueles atos, disse, esperava que o metessem na cadeira elétrica. E ele poderia até acionar a alavanca.

Pai e filho brigaram a vida toda. Gary Michael Heidnik era o primeiro filho de Michael Heidnik. O pai de Gary era ferramenteiro no bairro residencial de Eastlake, em Cleveland. A mãe, Ellen, uma mulher bela, era esteticista. Moravam em uma casa confortável em um bairro de classe média. Não devem ter sido muito felizes. Não mesmo. Provavelmente, nunca foram.

Um ano e meio após Gary nascer, Ellen deu à luz outro menino, batizado de Terry. Enquanto cresciam, Gary e Terry brigavam entre si e com o pai. Entretanto, Gary e Terry mantiveram contato por mais tempo. A relação Terry-Michael era tão desequilibrada quanto a relação Gary-Michael. Terry mais tarde afirmou que o pai cortou relações com ele, assim como havia feito com Gary.

De acordo com os registros, Gary e Terry não se davam bem com Ellen, cuja relação com Michael era igualmente ruim. Em 1946, quando Gary tinha 2 anos e Terry ainda era bebê, Michael e Ellen se separaram. No pedido de divórcio, Ellen acusou Michael de "total negligência das responsabilidades". Michael disse que a esposa era "louca" e, para completar, "bêbada".

Gary e Terry ficaram com a mãe, que se casou outra vez. Foi o início de um padrão: antes de cometer suicídio, em 1970, ela se casou mais três vezes. Os últimos dois maridos eram negros.

Gary e Terry moraram com a mãe até quando Gary começou a estudar. A partir dessa data, foram para a casa de Michael, que havia se casado novamente. Gary e Terry não se davam bem com a madrasta. Porém, o relacionamento com Michael era ainda pior. Ambos disseram que o pai era feroz na disciplina. Gary contou, em conversas subsequentes com psicólogos, que, quando mijou na cama, o pai fez ele pendurar o lençol manchado do lado de fora da janela do quarto, no segundo andar, para que todos vissem. Gary afirmou ainda que, quando Michael achava que o filho tinha *realmente* se comportado mal, pendurava ele do lado de fora da janela. Agarrava ele pelos tornozelos e o sacudia de cabeça para baixo, cinco metros ou mais acima do solo. Em determinada ocasião, segundo Terry, o pai estava muito zangado com os dois e, por isso, pintou um alvo nos fundilhos das calças jeans de cada um antes de irem para a escola. Em seus momentos mais graciosos, Gary descreveu o pai como "um tipo meio bronco" ou "distante". O psicólogo a quem contou isso achou essas descrições incrivelmente generosas. Segundo Michael Heidnik, 74 anos, seus filhos tiveram uma infância normal, conforme disse desde a prisão de Gary em 25 de março de 1987. Negou os espancamentos e ter ensinado preconceitos para ele. Michael descreveu o ambiente em que os filhos foram criados como "normal".

"Ele era um garoto normal", disse sobre Gary. "Ia na escola e jogava beisebol como os outros garotos, mas, meu Deus, acho que ficou com um parafuso frouxo."

Além do pai, havia mais problemas com Gary. Segundo Terry, Gary era humilhado porque sua cabeça tinha formato estranho. Os meninos chamavam ele de "cabeça de melão". Terry disse que era resultado de um acidente: quando Gary era bem novo, caiu de uma árvore e bateu a cabeça no chão. Depois, falou Terry, a personalidade do irmão mudou. Essa história cheira a invenção. Quando adulto, Terry teve problemas mentais. Mais tarde, ele diria à polícia que havia passado muito tempo em instituições psiquiátricas e que tinha tentado se matar por diversas vezes. O interessante é que *ele* nunca caiu de uma árvore.

Gary fazia as mesmas coisas que todo garoto fazia nos subúrbios nos anos 1940 e 1950: entrou para os escoteiros e teve "empregos de verão". Passou um verão pintando hidrantes. Saía com garotas, porém, por ser tímido, os namoros não duravam muito.

Ele tinha dois interesses na vida: finanças e o Exército. Devorava o caderno de economia dos jornais com a mesma voracidade que os demais garotos liam os quadrinhos. "Um dia", costumava dizer, "serei milionário." No oitavo ano, vestia trajes militares enormes o tempo todo. Sua ambição, além de ganhar muito dinheiro, era chegar à prestigiada Academia Militar de West Point.

Quando Gary cursava o nono ano, Michael havia juntado dinheiro suficiente para mandá-lo para um colégio militar. A escolha foi pela Academia Militar Staunton, na Virgínia, escola bastante prestigiada à época. Entre os ex-alunos estavam John Dean e Barry Goldwater[1]. A escola fechou em 1976, mas um ex-superintendente disse ao jornal da cidade, o *Plain Dealer*, que, durante seus dois anos como aluno, Gary Heidnik teve "notas excepcionalmente altas" e que não apresentou qualquer problema disciplinar.

Gary revelaria a profissionais de saúde mental que foi mais ou menos nessa época que visitou um psiquiatra pela primeira vez. O que o motivou nunca foi revelado, nem quanto tempo durou o tratamento. Gary revelou apenas uma coisa a respeito daquele primeiro tratamento: nunca recebeu medicação.

Talvez estivesse apenas esgotado. Ou, quem sabe, sob muita pressão. Qualquer que tenha sido o motivo, ele desistiu de Staunton no fim do primeiro ano e voltou aos bairros residenciais de Cleveland, para viver com seu pai e com quem achava que o odiava, a madrasta. Matriculou-se na escola North de ensino médio em Eastlake, contudo não ficou por muito tempo lá. Um mês e meio depois, transferiu-se para a escola East em Cleveland. Foi aí que entrou para o Exército.

Ao sair da residência suburbana em Ohio, às vésperas do inverno de 1961, sua bagagem psicológica era consideravelmente mais pesada que a sacola com a barraca em sua mão. Sentia-se muito feliz por abandonar a infância.

---

1 [NT] No passado, expoentes do Partido Republicano dos Estados Unidos.

4

RÁDIO

27.11.1986

Quando Josefina Rivera acordou, estava sozinha no porão. Não fazia ideia de quanto tempo tinha dormido ou quando o sequestrador havia saído. Ao olhar ao redor, viu um volume imóvel no canto oposto. O coração disparou, e foi preciso controle para não chorar. Observando com cuidado, viu que era só a máquina de lavar roupas. Suspirou aliviada.

Havia uma janela na sala, na altura dos olhos, a poucos metros do lugar em que se encontrava encolhida de medo. No entanto, essa janela parecia ter sido fechada com madeira, de modo que nenhuma luz entrasse. O único ponto de iluminação era a lâmpada fraca no teto, que criava longas sombras naquele espaço deprimente. Do outro lado da sala, fora de seu alcance, havia um freezer estilo baú branco. Parecia um caixão, ela pensou. Depois — bem depois —, descobriria que era exatamente isso. Próximo a ela, havia uma mesa de bilhar, com o feltro manchado e rasgado. Não se via nada que pudesse lhe dar esperança ou alegria.

Abraçando a si mesma, percebeu de súbito que ainda estava nua da cintura para baixo e que sentia frio. O piso e as paredes eram de concreto, o que contribuía para a frieza úmida que gelava até os ossos.

Uma parte em especial chamou a atenção: em ponto não muito distante, o cimento do piso tinha sido quebrado, e havia um fosso raso sob a sujeira. Por um breve momento, a palavra *túmulo* surgiu em sua mente, mas ela não deu atenção. A área quebrada no concreto era menor e menos profunda do que uma banheira. Ela não fazia ideia do porquê daquilo.

De ombros curvados, abraçando os próprios joelhos, tentava imaginar a vida no mundo exterior. Pensava no que as pessoas vivendo em tempo real faziam, se estavam na mesa para o almoço do feriado. Esse pensamento a fez lembrar que estava tão faminta que poderia comer um peru com penas e tudo.

Como que em resposta a seus pensamentos, ouviu a porta do andar de cima abrir, e, subitamente, Heidnik desceu as escadas. Trazia na mão o almoço do feriado: um sanduíche de ovo e um copo de suco de laranja.

Ela olhou desconfiada. Estava com fome, mas nem tanto. A comida podia conter veneno ou drogas. A oferta de alimento foi recusada com um gesto negativo de cabeça. "Acho que vou esperar."

"Você que sabe", falou dando meia-volta e subindo a escada. Alguns minutos depois, voltou com uma picareta e uma pá. A palavra *túmulo* piscou outra vez na mente dela.

De costas para Josefina, Heidnik começou a cavar a terra na área em que o concreto tinha sido removido. Primeiro, cavoucou mais fundo; depois, usou a pá para alargar o buraco sob o concreto que não havia sido quebrado.

Enquanto trabalhava, falou: revelando que seu maior desejo do mundo era ter uma família grande, porém um acontecimento arruinou seus planos. Disse que, em toda sua vida, tinha feito 46 anos seis dias antes — que não contou a ela —, teve quatro filhos com quatro mulheres diferentes. Entretanto, todos os filhos foram levados embora pelas mães ou pelas autoridades. Ele era especialmente amargurado devido à experiência com uma mulher chamada Anjeanette. A menina nascida dessa relação foi logo tomada deles e enviada a um lar adotivo. Antes que pudesse ter filhos novamente com a mulher, ele se meteu em uma encrenca séria para ajudar a irmã dela a escapar de uma instituição. A cunhada tinha 34 anos de idade, e, segundo disse, as relações sexuais entre eles foram consensuais, apesar disso, ele foi acusado de estupro e preso. Quando saiu, quatro anos depois, Anjeanette tinha desaparecido.

"A sociedade me deve uma esposa, uma família", ele disse a Rivera. "Quero pegar dez mulheres para manter aqui e engravidá-las. E aí, quando tiverem os bebês, criarei essas crianças aqui. Formaremos uma família grande e feliz."

Rivera tremia. Não foi preciso dizer nada para que soubesse que era a número um.

Heidnik largou a pá e foi até onde ela estava sentada. Abriu o zíper da calça, puxou o pênis para fora e mandou que ela o colocasse na boca. Após alguns minutos, penetrou a vagina dela até atingir o orgasmo. Alcançado o clímax, voltou para o andar de cima.

Ao ficar sozinha, Rivera começou a mexer nos parafusos dos grilhões. Com algum esforço, conseguiu soltar o pé esquerdo, o que permitia se mover pela sala até o limite da corrente — mais ou menos quatro metros. Em seguida, forçou a madeira na janela até ser possível ver a luz do dia. Procurando desesperadamente por alguma ferramenta, encontrou um taco sob a mesa de bilhar e o usou como alavanca para abrir a janela. Depois, criou coragem e se esgueirou pela abertura até o quintal dos fundos. Ela engatinhou até onde a corrente permitia e pôs-se a gritar.

Gritos não eram incomuns em OK Corral. O tempo todo, dia e noite, tinha alguém gritando. Os moradores aprenderam a ignorá-los; era um som incidental, tanto quanto pneus freando ou disparos de armas de fogo. Rivera gritou e gritou, até ficar rouca; e até que Heidnik a ouvisse.

Vermelho de raiva, ele correu até o quintal e a calou com um tapa. Tentou enfiá-la de volta no buraco que havia escalado. O corpo dela ficou inerte, e, por isso, não conseguiu colocá-la de volta. Por isso, retornou ao interior da casa, desceu a escada e, com a corrente, puxou ela como se tivesse pescado um peixe enorme. Quando a pôs para dentro, ele a jogou no buraco do piso, que cobriu com uma chapa de compensado. No entanto, o buraco não era fundo o suficiente. Mesmo com as pernas forçadas contra o peito, a cabeça estava para fora do buraco o que impedia a chapa de ficar na horizontal. Por isso, ela voltou a gritar.

"Não consigo respirar", ela suplicou. "Preciso de ar."

Heidnik jogou a chapa para o lado, agarrou Rivera pelo cabelo e a puxou para fora do fosso. Em seguida, pegou uma vara e bateu nela. Quando Rivera disse que se rendia, ele a jogou de volta no buraco e forçou o compensado sobre a abertura até que o queixo encostasse no peito. Ele colocou vários sacos de terra em cima para fazer peso e a deixou sozinha mais uma vez.

Alguns minutos depois, ele retornou com um rádio, que sintonizou numa estação de rock. Colocou o volume no máximo, saiu e não voltou nas 27 horas seguintes. Ela sabia o tempo exato, porque os DJs da rádio repetiam com frequência exaustiva o horário.

Uma onda de frustração e tristeza se abateu sobre Rivera. Jamais havia se sentido tão assustada e derrotada. Agora, com o rádio no máximo, mesmo que gritasse, ninguém escutaria. Era a primeira vez, pelo que conseguia se lembrar, que chorava de corpo e alma.

5
EXÉRCITO
Jan.1962

Gary Heidnik era um bom soldado. Não metia o nariz onde não era chamado, evitava confusão, guardava dinheiro. Mas talvez não fosse muito bom em fazer amizade.

Após o treinamento, ele pediu para ser mandado à escola da Polícia do Exército. O Exército recusou a solicitação. A idade mínima para policiais militares era 19 anos; Gary acabara de completar 18. Pediu para trabalhar como estenógrafo. Recebeu nova negativa. Assistente de estoque? Não. Operador de maquinário pesado? Não. Eletricista? Também não. O que o Exército disse foi: "Gary, temos uma oferta para você. Vamos treiná-lo como paramédico. Doutor". Assim, Gary Heidnik foi mandado para o Forte Sam Houston, em San Antonio, Texas. Quando se formou, foi classificado como "excelente" tanto em conduta como em eficiência.

Com base em relatos posteriores, soubemos que Gary Heidnik aprendeu muito mais do que trocar curativos durante o treinamento médico. Subitamente, conseguiu mais dinheiro do que jamais tivera antes na vida e resolveu usá-lo. Disse a um amigo, John Francis Cassidy, que havia se tornado agiota. Juntou o ordenado com as mesadas e emprestava dinheiro a juros para outros soldados. Estava tirando um bom lucro. E aí o Exército se intrometeu. Em maio de 1962, foi despachado para o 46º Centro Cirúrgico em Landstuhl, Alemanha Ocidental. Seu cargo era de assistente médico.

Cassidy contou que Heidnik, quando chegou à Alemanha, se deu conta do que tinha acontecido e quase teve um ataque cardíaco. Deixou quase 5 mil dólares em empréstimos para trás, pois, ao partir com tanta pressa, não teve tempo de reaver a quantia que lhe deviam. Boa sorte na Alemanha. Nunca mais recuperaria aquele dinheiro.

Em poucas semanas, Heidnik fez o teste para receber o diploma equivalente ao do ensino médio. Saiu-se muito bem, com aproveitamento de 96%. Vinte e oito pontos acima da média. Foi quando algo muito estranho aconteceu.

Três meses depois de chegar a Landstuhl, recebeu um atestado. Em 25 de agosto de 1962, pediu para ver um médico, alegando tontura, dor de cabeça e visão embaçada no olho direito. Reclamou de enjoos boa parte do tempo e vomitava. O médico percebeu que Heidnik tinha um tique evidente; a intervalos regulares, sacudia a cabeça para os lados.

Um neurologista do hospital o examinou e concluiu que estava sofrendo de gastroenterite. Adicionalmente, notou que Heidnik parecia exibir sintomas de doença mental: transtorno de personalidade esquizoide ou, talvez, esquizofrenia.

O dr. Jack Apsche, psicólogo da Filadélfia que passou meses analisando os complicados registros médicos de Heidnik, acreditava que os sintomas iniciais exibidos, quando ainda era soldado, não eram fruto de psicose, mas sim os efeitos posteriores ao uso de drogas alucinógenas. Esquizofrênicos são conhecidos pela frigidez emocional, pelo distanciamento e pela incapacidade de desenvolver relações íntimas, e as reclamações de Heidnik eram um pouco diferentes disso. Heidnik admitiu que não respondia bem à autoridade e reclamava que os colegas não gostavam dele por fazer seu trabalho melhor do que todos. Falou a um médico que "era de longe o melhor" e que os outros o "perseguiam" por inveja.

Além disso, quando Apsche viu as drogas prescritas para Heidnik, um alarme soou. A medicação incluía Stelazine, o que chamou em particular a atenção de Apsche, pois se trata de um tranquilizante forte. Não é como o Valium: Stelazine é um coice. "Se examinarmos as reações adversas a essas drogas, conforme listadas no *Guia de Referência para Médicos*, é no mínimo questionável prescrevê-las a alguém sem traços de psicose severa ou outra modalidade de classificação psiquiátrica", declarou Apsche. "É óbvio que se trata das drogas perfeitas para se dar a alguém com alucinações." Apsche acreditava que, no Exército, deviam ter percebido que a situação de Heidnik era séria.

Em 25 de outubro, exatos dois meses após relatar a doença, Heidnik foi transferido de volta aos Estados Unidos, para o hospital militar de Vale Forge, na Pensilvânia. Lá, além dos demais sintomas, Heidnik reclamou de "ver coisas se mexendo". O médico registrou que isso sugeria "quadro alucinatório".

Não efetuaram registro desses sintomas no arquivo em Landstuhl, embora, mais tarde, Heidnik dissesse a Apsche que fez esses relatos quando foi examinado pela primeira vez. Conforme concluiu Apsche, essa lacuna no arquivo inicial pode ter levado a um diagnóstico incorreto.

"Ou Heidnik estava tendo uma reação psicótica, e daí a alucinação, ou estava respondendo a um agente alucinatório. Como ele não tinha a típica personalidade esquizoide", disse Apsche, "é possível que esse diagnóstico de esquizofrenia fosse errado e que Heidnik estivesse tendo uma experiência alucinógena."

Três meses depois, em 23 de janeiro de 1963, uma comissão do Exército analisou o diagnóstico de transtorno de personalidade esquizoide dado a Heidnik e recomendou que lhe fosse concedida baixa com honras. Heidnik protestou, mas não fez diferença. Uma semana depois, foi desligado do serviço. Ao fim de tudo, seria considerado 100% incapaz mentalmente.

Em 30 de janeiro de 1963, antes de receber alta do hospital, Heidnik recebeu baixa honrosa. Serviu apenas catorze dos 36 meses de alistamento. Passou a receber uma pensão do serviço militar devido à incapacidade mental. A pensão originalmente era de 10% do salário, mas, depois que a papelada passou por todos os canais competentes, foi ajustada para 100%, retroativa à data de dispensa.

Após deixar o Exército, Gary se estabeleceu na Filadélfia. Formou-se enfermeiro e recebeu um certificado estadual. Também se matriculou na Universidade da Pensilvânia e recebeu créditos em química, redação, antropologia, história, sociologia, biologia, direito comercial e marketing.

Com o registro de enfermeiro, arranjou trabalho no hospital da Universidade da Pensilvânia, que o demitiu mais tarde em razão de seu trabalho desleixado, e iniciou treinamento para enfermeiro psiquiátrico no hospital da Administração dos Veteranos, em Coatesville, Filadélfia. Ele nunca concluiu o curso; foi expulso após cerca de quatro meses, por excesso de faltas e mau comportamento.

Nessa época, decidiu fazer as pazes com Michael e a madrasta. Porém, não deu certo. Voltou para Cleveland, mas foi embora novamente pouco tempo depois. Dessa vez, para sempre. Ele jamais voltaria.

A relação de Gary com a mãe não era muito melhor. Anos depois, afirmou que um dos motivos que o levaram a se alistar no Exército foram as pressões de sua mãe por dinheiro para bebida. Ao longo dos anos, mantiveram contato esporádico, contudo nunca foram próximos. Em 30 de maio de 1970, Ellen Heidnik, desgastada por câncer ósseo e alcoolismo, bebeu seu último gole: o conteúdo de um frasco de cloreto de mercúrio, produto químico bastante usado em salões de beleza. Gary mandou cremar o corpo e levou as cinzas até as Cataratas do Niágara, onde as despejou.

Seu próprio caminho destrutivo já estava escrito. Ele já tinha um longo histórico de internações em instituições mentais. E ainda haveria muitas outras.

6

CARTA

29.11.1986

Quando Gary Heidnik entrou no porão novamente, Josefina Rivera ouviu sua aproximação antes de enxergá-lo.

Ela continuava agachada naquele buraco raso, com cãibras horríveis, quando Heidnik desceu as escadas. Dessa vez, porém, havia alguém com ele: uma mulher chorava e dizia que "não queria".

"Cala a boca", ela ouviu Heidnik falar. "Não vou machucar você."

Apesar do rádio, mantido sempre em volume alto, Rivera conseguiu ouvi-lo realizar o mesmo procedimento com os grilhões de quando ela chegou. Por fim, Heidnik se aproximou e removeu o compensado. Agarrou ela pelo braço e a puxou para fora. As dores da cãibra dificultavam que ela ficasse em pé. Além disso, devido à falta de comida, estava tonta, e o mundo todo parecia girar. Quando tudo desacelerou, olhou para cima, direto nos olhos escuros de uma mulher bonita, que parecia ter a mesma idade que ela. A boca da mulher estava entreaberta e os olhos arregalados por trás dos óculos de armação perolada. Rivera se deu conta de que a mulher não estava entendendo nada. Não compreendia o que estava acontecendo.

"Nicole", Heidnik falou o nome pelo qual conhecia Rivera, "essa é a Sandy". Depois, olhando para a mulher nova, disse: "Sandy, essa é a Nicole". Era como se estivesse apresentando duas pessoas durante o chá da tarde.

Quando Heidnik saiu, Sandy contou que seu nome era Sandra Lindsay e que conhecia Gary Heidnik fazia quatro anos.

"Conheci ele quando frequentava o Elwyn", ela disse, explicando à Rivera que o Instituto Elwyn era uma instituição para pessoas com dificuldades físicas e mentais na Market Street, perto do rio Schuylkill, do outro lado da cidade.

"Gary era legal comigo", acrescentou. "Me trazia aqui o tempo todo e me levava ao McDonald's. A gente se divertia um monte."

"Vocês já transaram?", Rivera perguntou.

"Ah, sim", Lindsay respondeu. "Com ele e com o Tony."

"Quem é Tony?", Rivera quis saber.

"Tony Brown", Lindsay disse. "Um negro. Amigo do Gary. Ele dirigia o carro do Gary."

Lindsay confessou ter engravidado de Heidnik no passado, porém, assustada com a ideia de ser mãe, fez um aborto: "Gary ficou furioso. Ele me criticou no culto de domingo, disse que aborto era maligno. Depois me ofereceu mil dólares para ter um filho com ele. Mas não quero. Agora falou que vou ter um filho dele, querendo ou não".

Rivera olhava com atenção para Lindsay. Sua pele era escura feito chocolate e sedosa como de criança. Tinha estrutura óssea robusta e belo porte. Resumindo, parecia alguém feliz, envolvida em uma situação que não conseguia compreender. Na verdade, Lindsay, que sofria de leve atraso mental, não conseguia entender por que o amigo Gary tinha subitamente se voltado contra ela.

Enquanto Rivera a observava, Lindsay tirou os óculos — que, exceto por uma blusa amarrotada, eram tudo que usava — e começou a chorar. Eram soluços profundos, que faziam todo o corpo sacudir.

"Deixe que guardo pra você", Rivera disse, pegando os óculos. "Não vai precisar deles aqui." Com cuidado, fechou os óculos e os guardou no único lugar disponível, dentro do triângulo em cima da mesa de bilhar.

Enquanto Lindsay chorava, Rivera pensava na própria vida e como era diferente da de Lindsay. Ainda que Lindsay tivesse um diploma do ensino médio, ela se formou com um programa de educação especial. Rivera também se formou no ensino médio, porém estudou em uma escola barra-pesada do centro da cidade, comandada por freiras católicas. Enquanto a vida de Lindsay era segura, protegida com todo cuidado pela mãe zelosa, a vida de Rivera foi quase toda nas ruas. Lindsay tinha feito um aborto; Rivera tinha três filhos. Essa parte do que tinha contado a Heidnik era verdade. Mas nenhum dos filhos vivia com ela e, com certeza, nenhuma babá cuidava das crianças enquanto fazia programa.

Rivera tinha 25 anos de idade, com o coração calejado de 50; Lindsay, com a mesma idade, tinha a sagacidade e a sofisticação de alguém com 15 anos.

Antes que Heidnik subisse a escada, Rivera sentiu que ele estava nervoso por causa de Lindsay. Havia motivos para isso, pois a decisão de trazê-la para o porão foi inconsequente. A família de Lindsay, ao menos de forma indireta, sabia quem ele era. Sem dúvida, conhecia Tony Brown, visitante frequente em sua casa. E sabia da relação dele com o sujeito esquisito chamado Gary.

Brown, apesar de também ter deficiência intelectual leve, poderia imaginar o que aconteceu, caso alguém da família de Lindsay o procurasse para saber onde Sandy poderia estar.

Se Heidnik estava nervoso, disfarçou com rara hospitalidade. Uma hora depois de deixar as duas a sós, voltou, amistoso. "Hora da janta", anunciou, mostrando um punhado de bolachas e uma garrafa de água.

Rivera olhou para a oferta modesta e se amaldiçoou por ter recusado o sanduíche com suco da última vez. Caso estivesse na frente dele agora, não teria qualquer receio de devorá-lo. Ser envenenada provavelmente seria melhor do que morrer de fome. Ao menos, era mais rápido.

Sem dizer mais nada, Heidnik virou e subiu a escada, deixando as duas a sós para se conhecerem melhor. De certo modo, elas tinham uma ligação: duas esposas em um harém em construção.

Algum tempo depois, Heidnik voltou e recomeçou a cavar o buraco, agora ansioso para aumentá-lo o suficiente para que coubesse duas pessoas. Uma vez mais, após cavar com força, parou e foi até Lindsay. Rivera imaginou o que iria acontecer, pois já tinha passado por isso.

Rapidamente, ela compreendeu o comportamento de seu algoz. Primeiro, forçou Lindsay a colocar o pênis dele na boca e, após, a penetrou. Em seguida, forçou Rivera a fazer o mesmo. Por fim, pareceu ficar um pouco animado.

"Sandy prometeu que teria um dos meus bebês", Heidnik disse, confirmando o que Lindsay já tinha dito. "Ela sempre desiste, mas, dessa vez, vamos até o fim."

Na manhã seguinte, após preparar e servir mingau de aveia como café da manhã para elas, todos se assustaram com pancadas fortes na porta da frente. Heidnik correu escada acima e olhou pela persiana. Do lado de fora, estavam a irmã de Sandra Lindsay, Teresa Lomax, e dois primos.

Ignorando as batidas, desceu as escadas de novo. "É sua irmã", contou à Lindsay. "Deve ter conseguido meu endereço com o Tony."

Minutos depois, as pancadas cessaram e os visitantes foram embora. Heidnik subiu novamente para confirmar se não estavam mais lá. Ao retornar, trouxe várias folhas de papel e uma caneta.

"Escreva o que eu falar", ordenou a Lindsay, ditando tudo devagar para que ela pudesse transcrever: "Mamãe querida, não se preocupe. Vou ligar para você". Com muito esforço, Lindsay escreveu essas palavras.

"Agora assina", ele mandou.

Depois, Heidnik ordenou que colocasse o endereço num envelope. "Vou postar em Nova York", ele disse, lacrando o bilhete dentro. "Aí sua mãe vai achar que você fugiu e não vai vir aqui procurar você."

Quando ele saiu, as duas mulheres se entreolharam, infelizes. Instintivamente, sabiam que dias piores ainda estavam por vir.

7

MUDEZ

Jan.1963 – Set.1972

A vida da maioria das pessoas é pontuada por datas e conquistas tradicionais: nascimentos, mortes, casamentos, diplomas, promoções e coisas do tipo. A de Gary Heidnik é marcada por internações em hospitais psiquiátricos.

Do momento em que entrou no hospital do Exército em Landstuhl em agosto de 1962 até quando foi preso em março de 1987, ele entrou em diferentes hospitais 21 vezes. Essas são apenas as admissões documentadas. Há, no entanto, uma lacuna de seis anos em que não consta qualquer hospitalização. Dado seu histórico antes e depois dessas internações, é algo quase impossível. É como se tivesse estado em algum lugar, mas ninguém sabe onde.

Durante esse período, ele tentou suicídio treze vezes. Está documentado. Em seu julgamento, o promotor o ridicularizou: "Não foram tentativas *sérias*", ele disse. "Correto?" Uma vez, de moto, bateu com tudo num caminhão. Outra vez, tentou se enforcar. Em outra ainda, quebrou uma lâmpada e engoliu os cacos de vidro. Diversas vezes, tentou intoxicação com Stelazine ou Clorpromazina, suas duas medicações mais comuns. Após essas tentativas, era hospitalizado, quase sempre, de maneira voluntária. Ou se entregava, ou seu irmão, Terry, o levava embora. Às vezes, retribuía, levando Terry para o hospital quando *ele* tinha impulsos suicidas.

Seu impressionante registro de internações começou não muito após ser dispensado do Exército. Em menos de um ano, tentou se suicidar ingerindo comprimidos de Clorpromazina 50mg, um primo distante do Stelazine. Não deu certo, e por isso tentou veneno de rato. Os médicos levaram a sério.

Dois psiquiatras o examinaram após a segunda tentativa. Um identificou algum tipo de psicose não diagnosticada, além de sinais de depressão profunda. O outro, esquizofrenia.

Heidnik não colaborava muito, pois tinha decido ficar mudo. Agiu assim periodicamente durante os 25 anos seguintes. Ele apenas parava de falar. Em algumas ocasiões, escrevia bilhetes. Em outras, usava linguagem de sinais. Às vezes, ficava só sentado, encarando o interlocutor.

Dessa vez, o silêncio durou três semanas. De acordo com os registros, quando começou a falar de novo, sua fala estava enrolada. Suas divagações quase sempre soavam incoerentes.

Enquanto os médicos tentavam decidir se o liberavam ou se o mantinham internado, ele foi embora, ignorando as ordens. Foi a primeira vez de muitas que agiu desse modo.

Poucos dias após deixar o hospital, policiais o recolheram por dirigir à noite com o farol da moto quebrado. Ele confessou que era um paciente fugitivo e o levaram de volta ao hospital.

Duas semanas depois, foi liberado. E, duas noites após sua saída, na véspera do Halloween de 1966, sofreu sua colisão frontal. Declarou que queria se matar, porém, tudo que conseguiu foram ferimentos leves. Em nova tentativa, enquanto os ferimentos eram tratados em hospital comum, tomou comprimidos de Stelazine que guardou durante a hospitalização anterior. Os médicos o mandaram de volta para a ala dos lunáticos.

Dessa vez, ele foi colocado em vigília de suicídio e examinado de modo mais profundo. O veredito, agora, já era algo familiar. Heidnik foi diagnosticado como alguém com reação esquizofrênica e surto de ansiedade. Quando realizaram uma série de testes de inteligência, ele se saiu melhor do que 95% da população adulta. O registro dizia que "pontuação desse nível é classificada como superior, e, mesmo se comparada à de universitários, ainda é mais alta do que a de 75% deles".

Houve outra descoberta significante, sobretudo se analisada à luz do que aconteceria mais tarde: um dos testes revelou que Heidnik precisava desesperadamente estar em posição de autoridade.

Depois, Heidnik começou a somar hospitalizações. A essa altura, já existia um padrão. Caso as enfermeiras deixassem de prestar atenção, não tomava os remédios e guardava-os para um coquetel letal. O mutismo também se tornou marca registrada de Heidnik. Em fevereiro de 1968, chegou ao hospital da Administração dos Veteranos em Coatesville, contudo se recusou a falar. Uma enfermeira pediu que tirasse o relógio. Ele o arrancou, jogou no chão e pisou em cima. Quando se despiu para o exame físico, os médicos notaram um cordão amarrado com força em volta de um dedo do pé. Para que servia? Heidnik escreveu um bilhete revelando que queria induzir gangrena e esperava que ela se espalhasse por todo o corpo e o matasse.

Em dezembro de 1968, foi reinternado após acertar a cabeça do irmão, Terry, com uma plaina de madeira.

Enquanto Terry se recuperava do ferimento na cama de hospital, Gary foi até seu o quarto.

Terry ficou surpreso ao ver o irmão. "E se você tivesse me matado?", perguntou, com raiva.

Gary o olhou com desprezo e esperou um bom tempo antes de responder.

"Eu teria colocado o corpo na banheira e derramado ácido em cima pra dissolver os ossos", disse, por fim. "Teria de tomar cuidado na hora de misturar o ácido, para não danificar o encanamento. Deixaria você lá por dois ou três dias, e, se ainda houvesse ossos inteiros, ia jogar no compactador de lixo. Depois, ia espalhar por várias latas de lixo na vizinhança."

Terry ficou sem fala. Por muito tempo após isso, afirmou ter pesadelos em que Gary o perseguia com a plaina de madeira.

Gary não foi internado por quase dois anos. E aí voltou, relatando estar deprimido com o suicídio da mãe. Como essa morte ocorreu devido à ingestão de dose fatal de mercúrio, Heidnik se recusava a tomar medicações com derivados de mercúrio.

Os médicos, diante do fato, decidiram por um pequeno teste. Pediram-lhe que criasse duas histórias. A primeira era simbólica e representava a passagem das trevas à luz, ou, se interpretada psicologicamente, da depressão ao estado mais otimista. A segunda história era mais um ensaio curto sobre um fanático religioso que pulava da janela. Suas últimas palavras foram, "Deus, aí vou eu".

Os médicos lhe perguntaram qual das duas representava melhor sua opinião. "A mais abstrata", Heidnik respondeu. E quanto à outra? "Não sou muito religioso", disse ao médico. Mais adiante, isso seria significativo.

O registro da época anota que, no dia anterior à internação, a namorada com quem morava o largou. Heidnik estava com 26 anos, e ela era uns dez anos mais velha. Era uma mulher negra, com atraso mental, que havia passado um terço da vida em instituições mentais.

Em 1971, outra excentricidade foi acrescentada à sua lista pessoal. Era verão e fazia calor. Ele apareceu no hospital dos Veteranos em Maryland vestido com jaqueta de motociclista de couro preto, que se recusou a tirar. E se negou a falar.

Sem uma palavra, inclinou-se e enrolou a barra direita da calça. "Quando fizer isso", escreveu, "significa que não quero ser incomodado."

A essa altura, alguns dos psiquiatras começavam a se questionar se não seria o caso de interná-lo para sempre. "O paciente parece estar cada vez mais à vontade no ambiente clínico", um médico escreveu no relatório.

Em agosto, mais uma marca registrada: a impertinente saudação militar. O interessante a respeito de todas essas excentricidades é que elas o acompanharam por anos. Uma vez adotadas, nunca eram esquecidas. A saudação, o mutismo, o desprezo pela higiene. Todas marcas registradas. Um médico metido a poeta deixou para a posteridade sua opinião dos hábitos de limpeza de Heidnik: "Ele é bastante desleixado com a aparência e... ainda veste a mesma jaqueta de couro, que cria distúrbios sociais graças às emanações odoríferas".

Outro psiquiatra o descreveu como um "esquizofrênico residual", sem motivação ou iniciativa, com "desprezo por costumes sociais e culturais".

Apsche estima que foi nessa época que Heidnik começou a ver a si mesmo em um mundo à parte, governado por sua própria moral. "Essa", disse, "era a realidade de Heidnik."

Gary Heidnik foi liberado de outro hospital em 19 de setembro de 1972. É digno de nota, porque marcou o começou do período sem internações nos registros. Não há mais nada até 1978. Para Jack Apsche, isso não significa que os problemas mentais de Heidnik abrandaram. Ele pode ter ido parar em um hospital em outro estado, ou mesmo em um hospital particular. Uma coisa, segundo Apsche, pode ser presumida com razoável confiança: Heidnik não estava melhorando.

"Está claro que houve precedentes, previsões, talvez até mesmo projeções, sobre o que iria ocorrer", disse Apsche. "Todos os sinais de psicose extrema já tinham se manifestado. Um homem sem controle, implorando por ajuda, mas ninguém ouviu. Ele tinha ilusões, alucinações auditivas e visuais; tinha tentado o suicídio e sofria de depressão extrema. Tinha perdido o contato com a realidade. Havia sinais claros de que esse sujeito estava rumando para um episódio psicótico total que culminaria em suicídio ou homicídio."

Quando Heidnik foi a julgamento, o advogado de defesa chamou Apsche como testemunha. No entanto, a maior parte do material do psicólogo, detalhando a tumultuada história hospitalar de Heidnik, nunca foi apresentada ao júri. Em atitude incomum, a juíza determinou que Apsche não poderia fornecer detalhes. Poderia citar datas, remédios e sintomas, mas não os diagnósticos. Foi como um presente para a acusação. Sem que a defesa pudesse estabelecer um padrão de opiniões médicas, o promotor argumentou, de modo enfático e com enorme potencial para o convencimento, que Heidnik tinha simulado problemas mentais por 25 anos. O motivo alegado: o montante de 2 mil dólares mensais que recebia da Administração dos Veteranos e do Seguro Social.

8

IGREJA

Verão-Outono.1971

Aqueles 2 mil dólares mensais eram pouco, se comparados ao que ele poderia conseguir em outro investimento certeiro: uma igreja.

Na primavera de 1971, Gary Heidnik, que nunca antes tinha professado qualquer inclinação religiosa substancial, iniciou um diálogo com Deus. Certa manhã, saiu do apartamento na Filadélfia e entrou em seu Plymouth caindo aos pedaços. Disse que, a princípio, planejava dirigir só até o fim da rua, para buscar um café e um donut. Foi na direção oeste. Quando chegou ao oceano Pacífico, ele enfim parou. Olhando para a espuma no mar em Malibu, observando o sol se pôr, Gary Heidnik disse que foi visitado pelo Todo-Poderoso. Deus disse a Heidnik que retornasse à Filadélfia e fundasse uma igreja. Alguém precisava cuidar dos deficientes físicos e mentais. Anos depois, Heidnik alegou manter conversas com Jesus de tempos em tempos. Jesus lhe dava dicas sobre o mercado financeiro.

Alguns meses depois de sua viagem à Califórnia, enquanto se tratava em um hospital psiquiátrico, encaminhou documentação para fundar a Igreja Unida dos Ministros de Deus. A igreja foi aprovada em 12 de outubro de 1971. Os membros fundadores incluem seu irmão, Terry, uma mulher com deficiência intelectual com a qual ele vivia à época e um punhado de outras pessoas. Anexado à solicitação, estava um "estatuto" datilografado mal e porcamente, estabelecendo a estrutura e os princípios da igreja.

O documento determinava a seleção de uma mesa diretora de cinco membros. Seria selecionado um "bispo" que comandaria a igreja "pela vida toda, ou até que decidisse se aposentar". Da noite para o dia, o ex-soldado Gary Heidnik tinha se tornado o bispo Gary Heidnik.

O bispo tinha "responsabilidade e controle total das finanças da igreja". Ele também detinha o poder de escolher como levantar fundos. Entre os métodos sugeridos, estavam "empréstimos, finanças, bingos, empreitadas comerciais e outros negócios".

Em 1975, o bispo Heidnik usou 1,5 mil dólares para abrir uma conta em nome da igreja no banco de investimentos Merrill, Lynch, Pierce, Fenner & Smith. Desde criança, ele era obcecado por Wall Street. Agora, poderia brincar de verdade. Nos doze anos seguintes, não importando em qual hospital estivesse ou para onde fosse, o bispo Heidnik sempre fez questão de que os extratos mensais chegassem até ele. Da mesma forma, mantinha contato próximo com seu corretor. Com o passar dos anos, aqueles 1,5 mil dólares cresceram até virarem um portfólio de 545 mil dólares.

Seu corretor, mais tarde, testemunhou que o plano de negócios do bispo Heidnik tinha boa base. "Era um investidor esperto", admitiu. Esperto, mas não perfeito. Possuía uma fraqueza. Em uma audiência de pensão, anos depois, Heidnik demonstrou embaraço com seu único investimento malfadado. "Não resisti à Crazy Eddie[1]", confessou. As ações despencaram logo após Heidnik investir 158 mil dólares.

O estatuto estabelecia as regras relativas ao emprego dos fundos da igreja, a forma como o dinheiro seria gasto. Todos os bens seriam usados para "avançar os objetivos da igreja, como a compra de imóveis para culto, administração, educação, calefação etc.". Ao que parece, incluía-se sob essa rubrica a compra de veículos motorizados, visto que a frota de automóveis era listada como de propriedade da igreja.

---

1   [NT] Cadeia de lojas de eletrodomésticos que ficou famosa graças a comerciais de TV excêntricos e enérgicos, comandados pelo disc jockey Jerry Carroll. Em 1989, a empresa declarou falência após anos de fraudes e ingerências.

Nos meses seguintes, a legitimidade da igreja se tornou uma questão altamente debatida. Alguns alegaram que se tratava de estratégia clara para não pagar impostos. Outros afirmaram com sinceridade que se tratava de associação humanitária.

Todavia, se fosse um golpe, era um daqueles bem elaborados.

Além de abordar questões religiosas e seculares, o estatuto era bastante específico quanto à doutrina eclesiástica. Ele definia a Bíblia, de preferência a versão do Novo Mundo, como seu "guia e inspiração". Entretanto, também observava que "devemos lembrar que se trata apenas de uma interpretação das escrituras originais".

"A divindade de Cristo é questionável", prosseguia o documento, "mas Ele é reconhecido como o profeta de Deus e nosso salvador, portanto a afirmação de Origem Divina deve ser relativizada."

Quanto às questões seculares, o estatuto dava poder quase ilimitado ao bispo: "É dele a palavra final na interpretação da Bíblia e na resolução de disputas religiosas". Havia uma exceção: "intervenção divina".

Quando não estava no hospital, o bispo Heidnik regularmente realizava "cultos", onde quer que estivesse morando. Domingo bem cedo, Tony Brown entrava no melhor carro que, na época, pertencia à igreja e saía por aí arranjando fiéis. Muitos deles não sabiam ler, assim Heidnik ensinava a eles, com muita dificuldade, as letras dos hinos, colocando música gospel num volume alto no aparelho de som. Em geral, era um sermão curto. E aí se amontoavam no carro, e Heidnik levava todos ao McDonald's ou alguma outra lanchonete. Às vezes, iam em parques temáticos de New Jersey ou em outros lugares de recreação.

As pessoas que viram a "igreja" em operação afirmaram que era autêntica. O amigo de Heidnik, John Francis Cassidy, disse que chegou à casa de Heidnik numa manhã de domingo e viu vinte pessoas cantando hinos. Ele ficou impressionado. "Até aquele momento, achava que era um golpe", disse.

No ano de 1986, quinze anos após sua fundação, a igreja não só prosperava, como também estava rica. Em menos de dois anos, uma longa lista de pessoas estaria lutando por esses fundos, incluindo o Corpo da

Paz do governo dos Estados Unidos. O próprio Heidnik acabou envolvendo a agência federal, por conta do último parágrafo do estatuto, que funcionava como um testamento.

"Se e quando a dissolução [da igreja] for necessária", disse, "os bens totais da igreja devem ser diretamente distribuídos ou vendidos, com o lucro distribuído igualmente entre o Corpo da Paz e a Administração dos Veteranos."

9
GRAFIA
30.11.1986 – 21.12.1986

Para Sandra Lindsay e Josefina Rivera, a vida no porão encardido de Heidnik tinha se tornado uma rotina de pesadelo. Adaptaram-se da melhor forma possível, mas não era fácil, considerando o ambiente sombrio: o chão de concreto cheio de entulho, as paredes vazias, o rádio no último volume e a luz no teto que nunca se apagava, além do frio e do ambiente úmido — a completa indignidade.

Tendo em vista que a única peça de roupa que podiam vestir era uma camiseta fina, para se aquecerem, encostavam-se uma na outra com frequência e imploravam por cobertores e mais roupas. Situação agravada pela falta de contato com o mundo externo, das constantes demandas sexuais do sequestrador, da ameaça sempre presente de espancamento e, o tempo todo, da fome. Heidnik dava a elas pouca comida, e esse pouco não era nada apetitoso. Às vezes, servia mingau como café da manhã, porém o mais comum era biscoito recheado, bolachas água e sal e pão branco. Para o jantar, arroz e salsicha murcha e, em ocasiões especiais, frango frito de lanchonete.

As duas mulheres estavam totalmente à mercê dos impulsos sexuais de Heidnik, que, apesar de bizarros, seguiam um padrão. Preferia começar com prazer oral, sem, contudo, ejacular na boca delas. A motivação não era gratificação sexual, mas o desejo único de engravi-dá-las. Todo dia, ao menos uma vez, ele descia no porão e exigia sexo de uma delas, ou de ambas. Elas nem cogitavam resistir.

Heidnik advertiu às duas, diversas vezes, para não gritarem, não fazerem nada que pudesse alertar alguém da existência delas. Sua ameaça nem sempre surtia efeito. Quando Heidnik as espancava, Rivera e Lindsay gritavam e berravam, xingando e implorando piedade. O que normalmente fazia com que Heidnik batesse nelas com ainda mais força.

Não se preocupava muito com a chance de os vizinhos ouvirem, mas, por via das dúvidas, prendeu no teto material de vedação sonora para diminuir o som que fizessem. No entanto, a melhor forma de evitar o problema era convencê-las a não fazer qualquer barulho. E, caso fizessem, ele as espancava com o cabo da pá. Ou colocava as duas no fosso, "o buraco", e as cobria com uma tábua sobre a qual deposi-tava sacos de areia. Podia ainda empregar o castigo do alongamento.

Após trazê-las para o porão, parafusou uma argola em uma viga do teto, mais de dois metros acima do piso. Quando uma das duas desobe-decia, pegava as algemas, prendia uma das argolas no pulso da mulher, e a outra argola no anel metálico do teto. Assim, quem desobedecesse era obrigada a ficar de pé por horas a fio, com o braço levantado, sem poder sentar, deitar ou mudar de posição.

Essas punições e precauções eram necessárias, dizia a elas, pois corriam o risco de serem descobertas, o que arruinaria todo o plano. Os parentes de Lindsay volta e meia retornavam em busca de informação, de modo que a carta que ele a fez escrever, na tentativa de convencê-los de que ela não estava na casa, obteve êxito apenas parcial. Apesar do envio adicional de um cartão de Natal no começo de dezembro, com uma nota de cinco dólares junto.

Embora a correspondência não tivesse sido o suficiente para convencer a família de Lindsay, parecia ter convencido a polícia. A mãe de Lindsay reportou seu desaparecimento na segunda-feira posterior ao sábado em que ela saiu de casa. O caso foi passado para o sargento Julius Armstrong, um policial negro com dezessete anos de experiência. Ela disse a ele que suspeitava de que sua filha fosse prisioneira de um homem chamado Gary, que morava na rua Marshall, 3.520. Forneceu ao sargento um número de telefone. A única coisa que não sabia era o sobrenome de Gary.

Assim como a irmã de Lindsay, o sargento Armstrong visitou a casa e bateu à porta de Heidnik. E, do mesmo modo que ela, não obteve qualquer resposta. Ligou para o número, porém ninguém atendeu. Passou a procurar por Tony Brown, o contato entre Lindsay e Heidnik. Encontrou-o no McDonald's da zona oeste da Filadélfia, ponto de encontro frequentado por Heidnik e seus amigos com dificuldades de aprendizado do Instituto Elwyn.

"Qual o sobrenome de Gary?", Armstrong perguntou a Brown.

"Heidnik", disse Brown.

"Como se escreve?", Armstrong quis saber.

Brown pensou antes de responder: "H-E-I-D-A-I-K-E".

Armstrong registrou a informação no bloco de notas.

Mais tarde, quando voltou à delegacia, Armstrong pesquisou no sistema o nome que Brown tinha soletrado. A busca não revelou resultados.

A essa altura, a mãe de Lindsay já tinha recebido outra carta, que foi levada a Armstrong. "Arrá", pensou o policial, "Lindsay é apenas uma jovem fugitiva, não alguém raptada." Embora não tivesse abandonado o caso totalmente, admitiu em depoimento que, após ver a carta e o cartão de Natal, a investigação deixou de ser prioridade. Quando questionado pelo advogado de Heidnik, Armstrong confessou que não empreendeu grandes esforços para identificar Gary, deixando de realizar até procedimentos básicos, como verificar o sobrenome do responsável pelo pagamento de impostos no endereço fornecido. Sua fonte exclusiva para a identificação foi um homem com deficiência intelectual.

Caso tivesse persistido, descobriria que o Gary da rua Marshall e Gary Heidnik eram a mesma pessoa. Se houvesse pesquisado o sobrenome H-E-I-D-N-I-K no sistema, o resultado teria feito com que entrasse correndo no carro de patrulha. Digitando umas poucas teclas, poderia ter descoberto que, seis anos antes, Gary Heidnik cumpriu pena por raptar uma mulher negra com deficiência mental. Ele a escondeu em um contêiner no porão. Essa informação poderia ter salvado duas vidas.

Deixai toda
ó vós que

a esperança, entrais

— *A Divina Comédia,*
Dante Aligheri

10
SEQUESTRO
Jan.1976 – Mai.1978

Na verdade, o computador teria mostrado muito mais do que uma menção a Gary Heidnik. Talvez ele fosse mais conhecido no circuito de hospitais mentais, porém não era um estranho para o Departamento de Polícia da Filadélfia. Havia registros de prisão desde 1976, quando foi fichado por agressão e porte ilegal de arma.

As acusações vieram do incidente com um homem negro chamado Robert Rogers. A então namorada e futura esposa de Rogers alugou um cômodo de Heidnik, que, à época, tinha uma casa de três andares caindo aos pedaços na avenida Cedar, em um bairro pobre na zona oeste da Filadélfia, não muito longe da Universidade da Pensilvânia.

Heidnik e a namorada de Rogers tiveram um bate-boca. Em resposta, Heidnik foi até o porão e desligou a eletricidade de todo o imóvel. Ao chegar em casa, Rogers ouviu da mulher o que tinha acontecido e foi ao subsolo para religar a energia, mas encontrou a porta do porão trancada. Ele abriu uma das janelas pelo lado de fora e entrou. Dentro, sentado em um colchão infantil no chão, estava Heidnik, com um rifle nas mãos. Quando Rogers entrou, ele soltou o rifle e pegou a pistola.

"Te peguei, acho que vou te matar e dizer que era um ladrão", Heidnik ameaçou, erguendo a pistola e mirando no rosto de Rogers. Quando puxou o gatilho, Rogers virou o rosto bem na hora. A bala passou raspando na bochecha.

"Eu meio que convenci ele a não atirar em mim de novo", Rogers contou. "Fomos para fora e, quando a polícia chegou, agarrei a arma e bati nele."

As acusações foram arquivadas uma semana depois. No registro, não consta o porquê.

Logo após esse incidente, Heidnik vendeu a casa para um administrador da Universidade da Pensilvânia, que nem estava tão interessado na propriedade, mas, sim, em tirar Heidnik da vizinhança. Quando o sujeito e a esposa começaram a limpar o imóvel, encontraram pornografia e lixo aos montes.

Houve algo ainda mais perturbador, pois encontraram, em uma parte do porão de Heidnik, um buraco quadrado aberto no concreto, com uns 20 centímetros de profundidade. A terra sob o concreto havia sido removida, criando um fosso grande o suficiente para uma pessoa. Teria Heidnik cavado o buraco para se esconder? Para entrar e se proteger nele? Ou seria a cela para um prisioneiro?

Se o comportamento dele durante o outono de 1976 não foi percebido pelas autoridades, vinte meses depois, Heidnik conseguiu despertar a atenção dos policiais.

Após desocupar a casa na avenida Cedar, ele foi morar com Anjeanette Davidson, uma mulher negra com deficiência mental que tinha um apartamento na porção norte da rua 58 — outro bairro pobre da Filadélfia — no número 2.331.

Mesmo considerando as dificuldades de aprendizado — Anjeanette não sabia ler ou escrever —, não havia justificativa para sua internação. Mais adiante, um psiquiatra determinou o QI dela como 49. (Heidnik, testado à mesma época, marcou 130.) Em geral, uma pontuação de 100 é considerada mediana, e o diagnóstico de deficiência intelectual se dá abaixo de 70 pontos. Uma pontuação de 130 é considerada superior.

Anjeanette engravidou, e Heidnik, que tinha diploma de enfermagem, insistiu em tratá-la em casa e se recusou a permitir o exame de um médico. Um mês antes de o bebê nascer, a irmã mais velha de Anjeanette visitou o apartamento com um policial para levá-la embora.

Exames detectaram a presença de um tumor fibroide, o que impossibilitava o parto normal. Em 22 de março de 1978, ela deu à luz, por meio de cesariana, uma menina pesando 3,5 quilos. Devido a um regime restrito imposto por Heidnik, Anjeanette tinha engordado apenas pouco mais de dois quilos durante toda gravidez. Assim que a garotinha nasceu, foi mandada para um lar adotivo.

Algumas semanas depois, em 7 de maio, Heidnik e Anjeanette dirigiram até o Centro Selinsgrove, instituição para deficientes mentais próxima a Harrisburg, região central da Pensilvânia, para visitarem Alberta, irmã de Anjeanette.

Com QI na casa dos 30 pontos — equivalente ao de uma criança de 5 anos —, Alberta não sabia ler, escrever e, nem mesmo, distinguir moedas de diferentes valores. No entanto, ela era capaz de alimentar-se, vestir-se e manter-se limpa. À época com 34 anos, ela estava internada naquele centro desde os 14 anos de idade.

As duas irmãs ficaram felizes ao se encontrarem. Enquanto conversavam alegremente em um canto, Heidnik assinou a autorização para que ela pudesse sair da instituição para um passeio curto. Era meio-dia e meia, e Heidnik prometeu trazê-la de volta ao centro no máximo até a manhã seguinte. Eles jamais voltaram.

Quando Alberta não reapareceu, em 16 de maio, funcionários do centro conseguiram uma ordem judicial que demandava que ela fosse devolvida à instituição. Ocorre que, primeiro, deveriam encontrá-la. A primeira parada foi no apartamento de Heidnik e Anjeanette na Filadélfia.

Heidnik abriu a porta e disse à funcionária da instituição que Alberta não estava lá. Se não acreditasse, disse, abrindo a porta totalmente, podia entrar e procurar. A mulher olhou pelo apartamento e não encontrou Alberta.

"Onde ela está?", exigiu saber.

"Coloquei ela num ônibus de volta pra Selinsgrove", Heidnik respondeu.

Contrariada, a mulher foi embora.

No dia seguinte, com Alberta ainda sumida, os funcionários do centro começaram a ficar preocupados. A mulher que tinha visitado Heidnik no dia anterior voltou, mas dessa vez levou com ela um policial.

Novamente, Heidnik disse que Alberta não estava lá, e novamente vasculharam o apartamento sem encontrá-la. Dessa vez, porém, decidiram revirar o prédio todo.

Encontraram Alberta encolhida na despensa desativada no porão. Quando Alberta avistou a funcionária do hospital, correu em sua direção e a abraçou com força. Ela tremia violentamente.

"Vamos", a mulher disse. "Vamos pra casa."

"Espere aí", Heidnik interrompeu. "Se você for com eles", disse para Alberta, "vão trancar você e nunca mais vai ver sua irmã." Ela foi embora mesmo assim.

De volta ao centro, Alberta foi examinada com atenção. Os médicos descobriram um ferimento no vestíbulo da vagina, o que indicava atividade sexual recente. Ainda mais perturbador, um teste revelou traços de esperma na boca e gonorreia na garganta, doença que só poderia ser resultado de sexo oral.

Três semanas depois, por pressão do centro, a polícia retornou ao apartamento de Heidnik. Dessa vez, ele foi preso por sequestro, cárcere privado, estupro, atentado violento ao pudor, interferência na custódia de pessoa institucionalizada e crime de perigo à vida. Ele se declarou inocente.

Sua defesa começou bem, quando concordou em se submeter ao teste para doenças venéreas. O resultado deu negativo, indicando que Heidnik não tinha gonorreia. Ao menos, não naquele momento.

11

DETENTO

Nov.1978 – Mar.1983

Surpreendentemente, quando o caso foi a julgamento no mês seguinte, em novembro, Heidnik resolveu falar: "Quando deixamos o centro onde ela estava internada, no dia 7 de maio, fomos ao restaurante, o Gary's, onde ficamos por uma hora e meia. De lá, fomos pegar sorvetes. E aí, quando a gente ia levar Alberta de volta para o centro, ela começou a chorar. Disse que queria visitar a irmã, por isso a trouxemos para a Filadélfia".

No dia seguinte, segundo Heidnik, ele telefonou para o centro e pediu aos funcionários que listassem Alberta como em férias, para que pudesse ficar mais tempo. Alegou que o pedido parecia ter sido aceito.

Naquela noite, afirmou, ele foi para o trabalho e, quando voltou para casa na manhã seguinte, Anjeanette e Alberta estavam chorando e pareciam tristes.

"O que houve?", ele perguntou. "Qual o problema?"

Anjeanette disse que ligaram do centro e exigiram a volta de Alberta.

Heidnik contou que, em vez de devolverem Alberta ao centro, levaram-na para fazer compras, presentearam ela com dois vestidos, uma bolsa, um relógio barato e uma peruca. Nos dias seguintes, ele falou, trataram dos calos nas mãos e nos pés dela, e tentou ensiná-la a lidar com dinheiro. Ele admitiu que a escondeu, mas porque Alberta disse que não queria voltar para o centro. Logo, pensava estar ajudando. Negou que a aprisionou ou que teve relações sexuais com ela.

Sob interrogatório, Heidnik foi forçado a admitir coisas que abalaram sua credibilidade. Por exemplo, embora o teste tivesse dado negativo para doenças venéreas, admitiu que tinha acesso a antibióticos que poderia ter tomado para curar a doença. Admitiu também ter mentido para os funcionários de Selinsgrove a respeito do paradeiro de Alberta.

Como atenuante, alegou estar recebendo tratamento para esquizofrenia.

Por Heidnik ter declinado do julgamento por júri[1], a decisão a respeito de seu destino foi deixada nas mãos do juiz Charles P. Mirarchi Jr., um veterano do sistema criminal de aparência severa que já tinha tido sua cota de casos complicados na carreira. No que lhe dizia respeito, a história contada por Heidnik era uma das mais difíceis de acreditar que já tinha ouvido. A intuição do juiz indicava que Heidnik era problema dos grandes, especialmente com o relatório psiquiátrico que dizia que, mesmo com QI de 130, Heidnik era doido de pedra.

"Parece ser um indivíduo extremamente inseguro e confuso", o relatório dizia. "Os registros indicam que sofre de doença mental severa, o que parece ocorrer há muito tempo. Além de ser psicossexualmente imaturo, aparenta sentir-se facilmente ameaçado por mulheres que compararia a si em termos intelectuais ou emocionais. Sua defesa não tolera qualquer crítica. Gary precisa ser constantemente reiterado de que é pessoa inteligente e digna."

Mirarchi declarou Heidnik culpado, mas solicitou um relatório investigativo com prefixação da pena[2] padrão, cujo conteúdo parecia prever o que, posteriormente, veio a ocorrer: "Heidnik aparenta ser manipulador, com muita dificuldade em fazer a escolha certa", escreveu Joseph

---

1   [NT] Nos Estados Unidos, o julgamento por júri é constitucional e possui caráter fundamental. É permitido até em processo civil, e não só em casos de crimes dolosos contra a vida, como no Brasil. Contudo, ainda que tenha caráter de direito fundamental, o réu tem a opção de abdicar do julgamento pelo tribunal do júri e ser julgado apenas por um juiz togado.

2   [NT] Relatório sobre a vida prévia da pessoa recém-condenada, para estabelecimento de possíveis circunstâncias atenuantes na formulação da pena.

A. Tobin, o investigador criminal autor do relatório. "Impressionou-me a maneira como se vê superior aos demais, embora necessite se envolver com pessoas claramente inferiores para isso... Na minha opinião, com base em extensa investigação, é não só um perigo para si, como, potencialmente, um perigo ainda maior para a sociedade, sobretudo para aqueles que vê como fracos e dependentes. Infelizmente, não acredito que ele seja capaz de alterar esse padrão de comportamento aberrante no futuro."

Foi o suficiente para Mirarchi aplicar a Heidnik a pena mais dura que pôde, considerando que as acusações graves — estupro, sequestro, cárcere privado e atentado violento ao pudor — tiveram de ser abandonadas, pois não poderia haver processo sem depoimento de Alberta, considerada incapaz de depor. Tudo que restou para Mirarchi foi um punhado de delitos menores: interferência na custódia de pessoa institucionalizada e crime de perigo à vida. Contudo, foi o suficiente para Heidnik ser condenado de três a sete anos de prisão na penitenciária estadual.

"Se estivesse a meu alcance dar a ele uma pena maior, teria feito", Mirarchi disse dez anos depois. À época, muito antes de o nome de Heidnik aparecer no noticiário, Mirarchi intuiu algo sinistro nele, "algo perverso e perigoso".

O advogado de Heidnik, por outro lado, achou a pena pesada demais e pediu leniência, argumentando que o cliente não possuía condenações anteriores, que não tinha sido condenado por nenhum crime violento e que nenhuma arma havia sido utilizada. "É o tipo de crime que levaria o juiz, no meu entender, a acreditar que ele não representa perigo para a sociedade."

Mirarchi solicitou mais um relatório. Formulado pelo psiquiatra forense dr. Wayne C. Blodgett, foi o relatório mais duro até então, algo que em dez anos pareceria uma previsão cristalina do futuro.

Blodgett previu que havia "grande probabilidade" de Heidnik cometer crimes similares no futuro. "É particularmente preocupante", escreveu, "a propensão do acusado de se engajar em crimes de agressão sexual contra mulheres. Para se evitar tragédias futuras, são necessários acompanhamento e vigia de seus atos de modo intenso e por longo período."

No fim das contas, não foi tempo suficiente.

Heidnik, que já se referia a si mesmo como "bispo", agora havia assumido uma terceira identidade: se tornou o detento número F-9748. No entanto, a despeito da nova persona, não ficou preso um dia sequer. Em vez disso, passou os quatros anos seguintes pulando de um hospital estadual para outro. Da penitenciária Graterford passou ao Hospital Estadual de Norristown, de lá para o hospital de segurança máxima para criminosos insanos em Farview e, por fim, voltou refazendo todo circuito. Durante o período de encarceramento, Heidnik foi transferido de hospital em hospital ao menos meia dúzia de vezes.

Quando estava na metade de sua pena, ficou mudo. Simplesmente, parou de falar. Assim como tinha feito no hospital da Administração dos Veteranos, repetiu o gesto de enrolar a barra de uma perna da calça e escrever um bilhete dizendo que esse era o sinal para que não falassem com ele. Quando perguntaram por que não falava, Heidnik escreveu um bilhete dizendo que o Demônio tinha enfiado um biscoito na goela dele.

Um médico pediu que abrisse a boca e dissesse "Aaahhh". Após rápida olhada com a lanterna, disse a Heidnik que não conseguia ver o tal biscoito. Heidnik escreveu outro bilhete: "Reze por olhos".

O período de mutismo prosseguiu, com apenas breve pausa, nos dois anos e meio seguintes. Uma exceção foi na visita de seu velho amigo, John Francis Cassidy. Quando os dois se encontraram, Heidnik conversou com ele como se estivesse tudo normal.

O segurança, que conhecia apenas o Heidnik mudo, quase teve um treco. "Ei! Ele tá falando", gritou.

Heidnik olhou furioso. "É, deve ser um milagre", disse seco.

A comissão de condicional, por outro lado, não achou o caso de Heidnik nada engraçado. Nas três vezes que tentou obter liberdade condicional, a comissão decidiu pela necessidade de prosseguir com o auxílio psiquiátrico. Numa das vezes, escreveu um bilhete para a comissão e não assinou como G. M. Heidnik, mas como "G. M. Morte".

Por fim, em 24 de março de 1983, perto do término de sua pena, foi considerado apto para soltura. Sua condicional, no entanto, dependia de ser aceito num programa de internação em Coatesville, a unidade psiquiátrica da Administração dos Veteranos. Umas três semanas depois, em 12 de abril, foi libertado, porém permaneceria sob supervisão do Estado por mais três anos, o que não teve qualquer efeito sobre seu comportamento futuro.

12

SANDUÍCHES

22.12.1986

Gary Heidnik ganhou seu presente de Natal antecipado.

Estava andando com seu Cadillac pela zona norte, numa segunda-feira à tarde, três dias antes do Natal, quando avistou uma mulher que considerou provocante na rua Lehigh. Era Lisa Thomas, de 19 anos, zanzando por ali de jeans e parca azul. Thomas abandonou a escola no segundo ano do ensino médio, depois de engravidar. A criança nasceu, e, à época, mãe e filha moravam na casa da avó materna. Sustentava-se com o dinheiro de auxílio do governo.

Heidnik reduziu a velocidade e parou ao lado de Thomas, baixou a janela e perguntou a ela: "Quer ver meu pirulito?".

Thomas se ofendeu. "Não sou prostituta", respondeu raivosa.

Heidnik se desculpou e perguntou se queria uma carona.

"Não", ela devolveu, ainda zangada. "Estou indo pra casa da minha amiga."

"E onde fica?"

"Depois da esquina."

"Por que não entra e te levo lá? Não vou te machucar."

Lisa olhou para o belo carro. Observou mais uma vez o motorista, que mudou de abordagem depois de saber que ela não fazia programa. Não parecia ser um mau sujeito. "Não há problema nenhum em aceitar uma carona", pensou.

Heidnik a levou até a casa da amiga e disse que ia esperar. Lisa entrou, pegou um par de luvas que tinha esquecido em sua última visita e olhou pela janela. Heidnik e seu Cadillac a aguardavam junto ao meio-fio.

"Olha esse carro", gabou-se para a amiga.

Lisa voltou correndo.

"Vamos pegar algo para comer", Heidnik sugeriu.

"Ok", ela concordou.

Heidnik gostava de ir ao McDonald's ou ao Roy Rogers, entretanto estava ansioso para impressionar essa nova mulher, a adolescente de pele escura e aparência jovial, com sorriso brilhante e espírito de aventura. Por isso, levou-a até o TGI Friday's.

Enquanto devorava um cheeseburger com fritas, Heidnik perguntou se ela gostaria de viajar para Atlantic City no dia seguinte.

"Não tenho nem roupa pra isso", ela respondeu.

"Podemos dar um jeito", Heidnik falou, puxando a carteira estufada, de onde puxou uma nota de 50 dólares.

Ela olhou desconfiada.

"Para as roupas novas", Heidnik explicou. "Quando terminar de comer, vamos até a Sears, e você usa isto pra comprar o que quiser."

Compraram dois tops e duas calças jeans. Heidnik pediu para vesti-la.

Lisa deu de ombros. "Ok."

Heidnik levou Lisa até a rua Marshall e deu a ela um cooler de vinho, dizendo para ficar à vontade. Enquanto Lisa saboreava a bebida, Heidnik colocou no videocassete o filme *Splash — Uma Sereia em Minha Vida*.

O drinque foi demais para Lisa Thomas, que havia tomado um antialérgico no restaurante, que começava a fazer efeito. Com o álcool, ficou zonza e não conseguia sequer manter a cabeça erguida. Em poucos minutos, pegou no sono, deitada em frente ao videocassete.

Quando acordou, algum tempo depois, descobriu que Heidnik tinha tirado a roupa dela. Lisa estava completamente nua. Heidnik a levou para o andar de cima, deitou-a no colchão e fez sexo com ela.

Lisa se levantou e pegou suas roupas. "Você me leva de novo na casa da minha amiga?", perguntou.

Em resposta, Heidnik agarrou o pescoço dela com o braço e apertou. Ela começou a ver estrelas.

"Espera um pouco", reclamou. "Espera. Para de me enforcar, que faço o que você quiser." Ele colocou algemas nos pulsos dela e a fez descer pela escada.

Quando entrou no porão, Lisa continuava grogue e confusa. Observando ao redor, viu uma sala vazia, cheia de sacos plásticos brancos.

"São partes de corpos nessas sacolas, né?", perguntou de modo estridente.

"Não", Heidnik respondeu.

"Você vai me matar. Você quer me matar."

"Não, não vou te matar. Confia em mim. Não vou te matar."

Heidnik apontou para a tábua sobre o fosso, onde Rivera e Lindsay estavam encolhidas.

"Vou apresentar você para minhas duas amigas aqui embaixo", ele disse.

"Elas tão mortas aí, né?", Thomas gritou. "Não tão?"

"Não", Heidnik falou. "Mas se você não calar a boca, vou te machucar."

Ele moveu a tábua, e uma mulher seminua saiu do buraco. Enquanto Lisa observava em completo assombro, outra mulher saiu do buraco, também nua da cintura para baixo.

"Sou Nicole", disse a de pele mais clara, que era também a mais magra.

"Sou Sandy", disse a outra, que parecia um pouco lenta.

Heidnik ficou parado, sorrindo. Como um anfitrião feliz, trouxe manteiga de amendoim e geleia e começou a fazer sanduíches. Mas, antes que pudessem comer, havia um ritual a ser seguido.

Voltando-se para Lisa, Heidnik deu um comando de modo calmo, para estabelecer sua autoridade. "Beija meu rabo", mandou.

Lisa obedeceu.

"Quem manda aqui?", Heidnik perguntou.

"Você", ela respondeu.

Olhou para ela de novo. "Chupa minhas bolas."

Ela fez.

"Chupa meu pinto."

Ela também fez.

Em seguida, forçou penetração nela.

Depois, comeram os sanduíches, e Heidnik saiu, deixando Lisa com Rivera e Lindsay.

13

SEXO

1965 – 1986

Durante toda a vida adulta de Gary Heidnik, as mulheres com quem ele se envolveu tinham sido quase que exclusivamente negras. Isso, com certeza, remontava à infância, quando a mãe, que se casou com dois homens negros, contou a Gary que ele era birracial. Se era, com certeza não aparentava. Sua pele era branca feito leite; e os olhos, pálidos como gelo que tinha ficado tempo demais no freezer. Ele não acreditava naquilo que o espelho mostrava. Mais tarde, em duas ocasiões diferentes, quando foi admitido em hospitais mentais, listou raça como "de cor"; não gostava do termo "negro".

Após sair do Exército, convidou uma mulher negra casada para viverem juntos. Ela aceitou. Tiveram uma menina, mas, não muito tempo depois, a mulher voltou para o marido e levou a filha junto. Era metade da década de 1960.

Depois disso, morou com Dorothy, outra mulher negra, com quem ficou um bom tempo, uma década ou mais, até o dia em que simplesmente desapareceu.

Dorothy era quase doze anos mais velha do que Heidnik e, de acordo com depoimentos, mentalmente incapaz. Ela já vivia em instituições fazia catorze anos à época em que se conheceram e possuía um aspecto desleixado. Ao longo dos anos, perdeu os dentes, um por um. Quando foi morar com Heidnik, ela era, como dizem os dentistas, edêntula: sem dente algum.

85

Linda Rogers, a inquilina que havia se casado com o homem baleado por Heidnik no porão em 1976, disse que Heidnik tratava Dorothy muito mal, às vezes gritava, criticava e, até mesmo, batia nela. Porém, quando estava resoluto em puni-la, não lhe dava comida. Nessas ocasiões, ela batia à porta de Linda, que a acolhia e alimentava.

Linda era enfermeira. E, certo dia, Dorothy foi vê-la e mostrou um machucado feio na canela: era ferimento de bala. Como diabos isso aconteceu? Linda queria saber. Dorothy disse que Gary a acertou por acidente. Linda não falou nada. Sabia que Heidnik tinha várias armas no apartamento.

Quando Dorothy desapareceu, Heidnik pareceu muito preocupado. Comentou seu temor de que ela estivesse perambulando por aí e não conseguisse voltar. Alguns anos mais tarde, quando seu amigo John Francis Cassidy o visitou na prisão, Heidnik contou ter visto um documentário na TV sobre moradores de rua, em que pensou ter visto Dorothy. Quis contratar Cassidy para encontrá-la. Porém, ele se recusou. "Não sou detetive", disse a Heidnik.

Após busca exaustiva, a polícia localizou Dorothy "viva e saudável", no entanto, sua mente estava mais confusa do que nunca.

O relacionamento de Heidnik mais duradouro depois de Dorothy foi com Anjeanette. Quando saiu da prisão, tentou encontrá-la, contudo não teve sucesso, pois não conseguiu descobrir seu paradeiro.

Mais tarde, a polícia também procurou Anjeanette, mas não foi capaz de localizá-la. Alguns investigadores acharam que Heidnik a matou e enterrou em alguma cova ainda não descoberta.

Na época em que saiu da prisão, Heidnik não era um sucesso em ter relacionamentos duradouros. Sua primeira companheira séria o abandonou e levou a filha do casal. Dorothy, apesar de não ter filhos, também foi embora. E agora ele não conseguia encontrar Anjeanette, embora soubesse a localização exata de sua filha e a visitasse vez ou outra. No verão de 1986, seu direito de visitação foi revogado, apesar de seus esforços para evitar que isso ocorresse.

Entre a primavera de 1983 — quando saiu da prisão, aos 40 anos — e o outono de 1985, não teve qualquer companhia. Havia uma mulher branca que ia com regularidade a sua casa, porém ela também frequentava a cama de Tony Brown. Mais tarde, ela teve um filho, que afirmou ser de Heidnik, e foi batizado em homenagem a ele. Ela sempre se referiu a criança como "Pequeno Gary".

Posteriormente, a criança foi enviada a um lar adotivo, e a mulher começou a ver Tony Brown mais do que Heidnik. Algum tempo depois, acabou se casando com Brown, com quem teve outro filho.

Todavia, essa era apenas uma das mulheres com quem Heidnik mantinha relações sexuais. Havia também Jewel, uma mulher negra da mesma idade de Heidnik. Conheceram-se quando ambos eram enfermeiros em um hospital na Filadélfia, ainda na década de 1960, e eram amantes desde então.

O relacionamento atingiu certo grau de regularidade depois que Heidnik saiu da prisão. Todos os sábados, por quase dois anos, Heidnik a buscava para irem à rua Marshall, onde passavam a noite juntos. No domingo, ela frequentava o "culto" de Heidnik e, depois, saía para comer com os outros congregantes. Na sequência, Heidnik a levava de volta para casa.

Jewel disse que conheceu Heidnik quando era mais nova, e, à época, ele se referia a ela como um "belo espécime" de mulher, com quem gostaria de ter um filho. No entanto, após ela dizer com clareza que não queria ter mais nenhum filho, ele parou de insistir.

Contudo, seus hábitos sexuais se tornaram mais exóticos.

"Quando eu ia na casa dele, Gary queria transar com duas mulheres ao mesmo tempo", relatou à polícia uma ex-namorada. "Sempre quis ser a primeira, pois não queria que ele, depois de transar com outra, colocasse o pênis em mim. Então, eu transava com Gary antes, e ele gostava de ter outra mulher na cama, pra morder o peito dela. E aí quando Gary transava com a outra, mordia meu peito."

Uma mulher que participou dessas atividades afirmou que teve um filho com Heidnik. Outra contou que era amiga de Heidnik da época do Instituto Elwyn. Seu nome era Sandra Lindsay.

No começo de 1987, Heidnik começou a variar a rotina de sábado com Jewel e mudou o dia dos encontros para a quarta-feira. Pegava ela ao meio-dia e levava até a casa dele, onde faziam amor no colchão d'água. Por volta das 17h, se vestiam, buscavam algo para comer e Heidnik a deixava em casa.

Essa rotina continuou quando Heidnik mantinha as mulheres em cativeiro no porão, exigindo sexo delas diariamente.

Em uma quarta-feira, segundo Jewel, Heidnik foi buscá-la na companhia de outra mulher. Para Jewel, a mulher parecia porto-riquenha e disse se chamar Nicole.

"Ela parecia uma garota meiga", declarou Jewel.

Os três almoçaram juntos no Wendy's, fizeram compras para Nicole num brechó e voltaram para a rua Marshall. Quando chegaram lá, ela e Heidnik foram para o andar de cima para seu encontro sexual de meio da semana, e Nicole ficou no andar de baixo. Segundo Jewel, quando desceram, Nicole estava sentada sozinha na cozinha.

Uma mulher branca, alguns anos mais jovem que Heidnik, também tinha conhecido Gary nos anos 1960, no hospital, embora fosse paciente, e não funcionária. Ao longo dos anos, manteve um relacionamento sexual tanto com Heidnik quanto com Tony Brown. Relatou ter transado uma vez com Heidnik na parte de trás da van dele, que ficava estacionada próxima ao Instituto Elwyn, como uma cama sobre rodas para usar com todas as conquistas que fazia na instituição.

Uma prostituta negra contou à polícia que morou em um quarto na rua Marshall, indo e voltando no decorrer de várias semanas em 1986. Durante esse tempo, ela disse, o lugar parecia um zoológico.

Tony Brown e uma mulher com deficiência mental e física estavam vivendo lá, além de um desfile de mulheres que entravam e saíam a toda hora. Sandra Lindsay era uma delas. ("Ela passava a noite lá de vez em quando.") Havia também uma garota negra ("que tinha ataques epiléticos o tempo todo."), uma "mulher superfranzina do Elwyn", com severa deficiência mental, que ("tinha três filhos para cuidar e não sabia contar nem usar o telefone."), e uma mulher branca obesa que "parecia quase uma mendiga", disse a prostituta. "Gary nunca transava com ela."

Em contraste com o que uma ex-namorada disse do apetite de Heidnik por sexo agitado, a prostituta contou que com ela era bem diferente. Quando iam para a cama, "Gary me mandava ficar deitada, sem me mexer".

Em 1983, Heidnik decidiu expandir seu repertório sexual-racial. Mesmo que claramente preferisse negras a brancas, decidiu investir em mulheres do oriente também. Dirigiu-se até uma agência de casamentos e os instruiu a localizarem uma "virgem oriental".

14
RAÇÃO
1–18 Jan.1987

Dez dias após acrescentar Lisa Thomas a seu harém hediondo, Gary Heidnik saiu à caça novamente. Dessa vez, voltou para casa com outra mulher negra, Deborah Johnson Dudley, de 23 anos.

Como ou onde Heidnik apanhou Dudley continua um mistério. Uma coisa se sabe: ela conseguiu irritá-lo. Desde o momento em que a levou para o porão com as outras, ficou claro que estava diante de uma fonte infindável de problemas.

Já havia desarmonia entre as prisioneiras, e mais tensão era o que Heidnik menos queria, especialmente vindo de uma mulher que desafiava sua autoridade a cada chance que tinha.

Conforme o número de mulheres crescia, uma hierarquia se desenvolveu. Rivera, a mais experiente, aprendeu a manipular o manipulador. Com o passar do tempo, ela era punida com menos frequência e foi ganhando a confiança de Heidnik de modo crescente. Lisa Thomas, que tinha sido sequestrada em 22 de dezembro — a terceira a chegar —, disse que nunca viu Heidnik bater em Rivera, embora as outras fossem regularmente espancadas.

Uma das táticas prediletas de Heidnik era escolher uma delas para ficar no comando quando saía da casa, uma espécie de "líder do dia". Depois, quando voltava, perguntava à responsável quem tinha se comportado mal, para que pudesse providenciar castigo. A punição normalmente consistia em ser atingida com o cabo da pá, mas podia também incluir uma dieta forçada, passar um tempo "no buraco" ou ficar pendurada pela mão no gancho. Se a responsável do dia dissesse que ninguém tinha se comportado mal, Heidnik a castigava.

Ele também fazia uma bater na outra e invertia os papéis, se aquela que estivesse administrando a punição não batesse com força o suficiente. Ou ele próprio batia.

Seu apetite sexual não mostrava sinais de declínio. Era raro o dia em que não forçava ao menos uma delas a fazer sexo. Às vezes, passava de uma para outra, como se fosse uma abelha trocando de flor, até que chegasse ao clímax e se cansasse. Mais tarde, de acordo com Thomas, obrigava as mulheres, sob ameaça de morte, a transarem umas com as outras para assistir.

A higiene era mínima. Heidnik tinha comprado um banheiro químico para elas e, para a higiene feminina, trazia absorventes internos. No começo, se recusava a deixá-las tomar banho. O único modo que dispunham para se limpar era com lenços umedecidos, do tipo que pais usam em bebês quando trocam fraldas. Certa vez, Thomas puxou sem querer dois lenços de uma só vez da caixa, o que deixou Heidnik furioso. Acusou-a de desperdício e deu uma surra nela com o cabo da pá.

Mais adiante, cedeu e passou a levar uma de cada vez para tomar banho no andar de cima. Sempre acorrentadas. Mesmo na banheira. Após ficarem na água por alguns minutos, Heidnik as levava para a cama e transava com elas.

Apesar da ligeira melhora quanto à limpeza, em relação à comida a situação piorou.

Certo dia, enquanto alimentava seus dois cachorros, um mestiço de labrador chamado Urso e um vira-lata cruzado com collie chamado Medroso, ele teve uma ideia. Quando foi castigar as mulheres mais uma vez, pegou uma lata de comida de cachorro sabor frango e ordenou que comessem tudo. Com a recusa, ele avisou: "ou comem, ou apanham". Elas comeram. A partir daí, comida de cachorro se tornou parte da dieta. Mais adiante, o cardápio ficaria ainda mais sombrio.

No entanto, havia ocasiões em que quebrava as próprias regras. No Natal, levou o menu de um restaurante chinês até o porão e deixou que escolhessem a refeição.

Em 18 de janeiro, o harém recebeu o acréscimo de Jacquelyn Askins, uma moça pequena e de fala delicada, de 18 anos de idade. Apesar das características quase infantis, Askins não era ingênua. Naquele dia, estava trabalhando no horário do almoço na frente de um hotel pulguento na zona norte, na esperança de que alguém aparecesse procurando programa ao meio-dia. Esse alguém foi Heidnik, que dirigia sua van Dodge azul com o interior de pelo falso, o carro que chamava pomposamente de "Pernalonga".

Ao ir para a casa dele, de acordo com o padrão já estabelecido, foi arrastada ao porão. Assim que chegaram ao subsolo, Heidnik pegou um cano plástico e a acertou cinco vezes nas nádegas.

"É isso que vai acontecer se não fizer tudo que eu mandar", ele disse. Para que ela não esquecesse, acertou-a mais cinco vezes.

Quando foi acorrentá-la, como sempre fazia, com braçadeiras, percebeu que os tornozelos dela eram tão pequenos que poderiam escapar facilmente. Então, precisou recorrer a um par de algemas.

Naquela noite, ele estava de ótimo humor. Não apenas tinha uma nova recruta, como também achava que Rivera e Lindsay estavam grávidas. Era alarme falso e nenhuma das duas conseguiu conceber, apesar dos esforços de Heidnik. Mais tarde, um psiquiatra testemunhou que Heidnik ficou totalmente deprimido quando viu todas as mulheres em uma audiência e "todas tinham barrigas esguias". O dr. Clancy McKenzie disse que "Heidnik olhou para elas e disse para si mesmo, 'Tudo aquilo pra nada'".

No entanto, havia, para além da crença equivocada na gravidez das prisioneiras, outro motivo para comemorar: no dia seguinte, seria o aniversário de 26 anos de Rivera. Para marcar a dupla ocasião, trouxe mais uma vez comida chinesa e uma garrafa de champanhe, um luxo que as mulheres jamais esperariam ver. Enquanto elas bebiam avidamente, Heidnik bebia lentamente de um copo pequeno. A bebida não estava entre seus vícios.

15

CASAMENTO

Out.1985 – Abr.1986

Poucas semanas depois de Gary Heidnik visitar a agência de casamentos, uma filipina de olhar inocente chamada Betty Disto lia um catálogo que divulgava amigos por correspondência. Um parágrafo chamou sua atenção. "Homem americano", dizia. "Solteiro. Idade: 36. Profissão: enfermeiro." Ela pegou papel e escreveu uma carta se apresentando para quem tinha escrito aquele parágrafo: Gary Heidnik, da Filadélfia, Pensilvânia.

Uma amizade por correspondência floresceu. A foto colorida que recebeu mostrava um homem de aparência intensa, com cabelo escuro e rosto magro, porém bonito. Desacostumada ao contato com homens caucasianos, pela foto, não percebeu que ele era cinco anos mais velho do que dizia aquele catálogo. Na parte de trás da foto, havia um recado: "Querida Betty, saudações da terra do gelo e da neve. Seu amigo, Gary".

Betty também enviou uma foto. Heidnik abriu o envelope e viu uma jovem de cabelos pretos, olhos escuros, boca saliente e pele oriental sedosa. Dizia ter vinte e poucos anos, porém parecia mais jovem. Absolutamente estonteante. Ele sorriu. Eis sua beleza oriental.

Em extensa entrevista a Michael E. Ruane do *Philadelphia Inquirer*, antes de se afastar da vida pública, Betty falou com nostalgia daqueles meses em que estavam apenas se conhecendo.

Por quase dois anos, segundo ela, trocaram cartas — Betty escrevia toda semana — e, de vez em quando, se falavam por telefone. Numa dessas conversas transoceânicas, Heidnik disse que era ministro na igreja que ele mesmo fundara. Ela estranhou, porém norte-americanos agem desse modo. E, então, Heidnik a pediu em casamento.

O pedido de casamento gerou uma crise na casa de Disto, lugar com mil anos de tradição, do outro lado mundo. Ela era a mais jovem de seis filhos. O pai, ex-militar, policial da zona rural, tinha morrido quando Betty tinha 12 anos de idade. A mãe não queria que a filha deixasse a casa, menos ainda para encontrar alguém de quem pouco ou nada se sabia, numa viagem a uma terra distante. "Não vá", a mãe implorou, argumentando que o sujeito era um completo desconhecido. "Talvez seja um bruxo, alguém da feitiçaria." Betty riu. Ela estava decidida.

O pedido de visto foi concedido. Heidnik comprou a passagem. Ela preparou a mala e, em 29 de setembro de 1985, embarcou num voo longo e cansativo: Manila – Tóquio – Nova York – Filadélfia.

Heidnik a esperava, com a jaqueta de couro preto predileta. Vestia calça e camisa pretas. Mais tarde, ela relembrou a impressão causada nesse primeiro encontro. "Ele parecia velho", falou a Ruane e, em seguida, acrescentou, demonstrando sentir um leve calafrio: "Parecia o Drácula."

Apesar disso, naquele dia, a empolgação era grande demais para prestar atenção a esses aspectos físicos. Ele a beijou de modo casto, na bochecha, e deu as boas-vindas aos Estados Unidos. A demonstração de afeto em público a deixou envergonhada. As pessoas não faziam isso na terra dela.

Já que não eram casados, Gary perguntou se ela se sentiria mais confortável em um hotel. "Não", foi a resposta que deu. "Não se preocupe. Confio em você."

Aqueles eram dias de inocência. No entanto, não duraram muito.

Ao chegarem à rua Marshall, Heidnik levou-a para o quarto com a cama d'água. Ela nunca tinha visto uma cama dessas, e ficou um pouco desconfortável com a ideia de dormir ali. Sentiu-se ainda mais desconfortável quando descobriu que teria de dividir a cama com uma mulher negra, que já dormia e roncava. Até aquele momento, nunca tinha visto uma pessoa negra de perto.

"Quem é?", perguntou.

"Uma inquilina", Heidnik respondeu. "Ela aluga o quarto por 250 dólares por mês. Nada mau, né?"

Betty não sabia o que dizer; preferiu ficar quieta.

Foi um romance frenético. Em 3 de outubro, antes mesmo de se recuperar do desgaste da viagem, Betty foi com Heidnik até Elkton, Maryland, onde se casaram. Após, voltaram para a Filadélfia e pegaram um quarto no Hotel Marriott. Depois, retornaram à rua Marshall.

Durante algum tempo, foi tratada como princesa. Ele a chamava de "querida" e fazia tudo que a agradasse. Conversavam sobre filhos. Heidnik disse que queria muito um e, se tivessem um menino, queria batizá-lo Jesse[1], como o pai do rei Davi no Antigo Testamento.

A lua de mel durou uma semana.

Certo dia, ao voltar para casa depois das compras, ouviu um barulho estranho no quarto. Ao empurrar a porta, olhou o cômodo e teve o maior choque de sua vida. Seu marido estava na cama com três mulheres negras. As três estavam nuas e se contorciam em posições estranhas. Ela começou a chorar e correu escada abaixo, soluçando histericamente.

Heidnik correu atrás. "Compre uma passagem pra mim", ela disse. "Vou embora."

"Não", Heidnik falou. "Você não entende. Isso é normal nos Estados Unidos."

"Não dou conta disso", soluçava.

"Você vai ter que dar", Heidnik falou. "Eu mando aqui."

A partir daí, as coisas degringolaram.

Heidnik passava a maior parte do tempo nas redondezas do Instituto Elwyn. Aos domingos, promovia "cultos" na casa da rua Marshall, lotando o lugar com vinte e poucas pessoas com deficiência — os rejeitados do mundo, com deformidades físicas ou mentais, que tinham vergonha de ir a uma igreja comum porque olhavam torto para eles.

---

1 [NT] Versão em inglês de "Jessé".

Betty estima que esteve, aproximadamente, em vinte desses "cultos" e nunca viu Heidnik aceitar um tostão. Era contra o "estatuto" da igreja pedir doações. Além disso, se alguém estivesse passando dificuldades, ou mesmo temporariamente desabrigada, Heidnik permitia que ficasse lá com Betty e ele.

O que não quer dizer que ele tivesse parado de sair com outras mulheres. Levava para casa as pessoas incapacitadas do Instituto Elwyn, ou algumas prostitutas que catava na rua. Durante todo o tempo em que estiveram juntos, Betty afirmou que nunca foi a única mulher na casa.

Caso reclamasse, ele a encarava com desprezo nos olhos. Olhos que, num lampejo, deixavam de aparentar calma e tranquilidade para revelar intensidade assassina. Era quando a socava, normalmente no braço, como castigo. Por vezes, a obrigava a ficar de pé num canto, por até doze horas. Em outras ocasiões, negava comida para ela. Ou, ainda, se divertia fazendo Betty assistir ele transando com outra mulher, para depois obrigá-la a preparar comida para ele e a nova parceira — ou parceiras.

O domingo de 12 de janeiro de 1986 foi particularmente ruim, pois Heidnik estava ainda mais violento do que o normal. Quando Betty reclamou de novo sobre o modo como viviam, foi agarrada pelos cabelos, estapeada e socada nos braços e nas pernas. Depois, ele a forçou a fazer sexo vaginal e anal.

"Se fugir, eu te mato", ele ameaçou.

Uma estranha numa terra estranha, ela não sabia o que fazer. Finalmente, desesperada, entrou em contato com outros membros da comunidade filipina, que a incentivaram a abandonar Gary.

Quatro dias depois, ou seja, três meses e meio após sua chegada, guardou o passaporte e um vestido extra numa sacola plástica e os escondeu do lado de fora da casa. Fingindo que iria fazer compras, saiu de casa, pegou a sacola e fugiu. Além de abandonar o marido, fez um registro de ocorrência na polícia.

Em 27 de janeiro, a promotoria acusou Heidnik de estupro, atentado violento ao pudor e agressão. Ele foi notificado dois dias depois, no exato dia em que se encerrava sua condicional pelo incidente com Alberta Davidson.

Em março, Betty não compareceu à audiência preliminar convocada para determinar se havia provas suficientes para ir a julgamento. Sem o depoimento dela, era impossível dar sequência ao processo, de modo que o juiz não teve escolha a não ser arquivar as acusações.

Heidnik não sabia, mas Betty estava grávida. No dia 15 de setembro, deu à luz um bebê de Heidnik, que batizou de Jesse John, apelidado JJ. Ela mandou um cartão-postal contando tudo a ele.

Com o passar dos meses, ela recusou o divórcio em muitas ocasiões. Na época do julgamento, ainda estavam oficialmente casados, mas ela evitou se envolver, assim como o pai e o irmão de Heidnik.

16

POSSES

14.01.1987

Divorciada ou não, Betty Heidnik esperava por apoio financeiro. Quando o marido atrasou demais os pagamentos semanais de 135 dólares, valor que sequer incluía JJ, Betty processou-o. Ela não fazia ideia, mas Gary tinha preocupações muito maiores.

Treze dias depois, após somar Deborah Dudley ao grupo no porão — quatro dias antes, ele havia capturado Jacquelyn Askins —, Heidnik se apresentou ao juiz Stephen E. Levin Jr. da Vara de família da primeira instância. Se não fosse um caso tão sério, pareceria piada. A transcrição da audiência com o juiz parece um esquete de humor. O que a torna interessante é ser um dos únicos registros públicos de um diálogo com Gary Heidnik. Embora tenha deposto no julgamento em 1978, era apenas atuação. No entanto, com Levin, houve diálogo. Heidnik foi seu próprio advogado e argumentou com o juiz. Na verdade, parecia mais estar brincando. O juiz não gostou. E chegou muito perto de mandar Heidnik para a prisão por desacato. Caso tivesse feito isso, a saga das mulheres no porão teria tido um final bem diferente.

Na época, Heidnik provavelmente estava se sentindo imbatível. Mantinha quatro mulheres no porão, e duas ele acreditava estarem grávidas. Achava que seu plano estava dando certo. Foi quando sua esposa foragida e o juiz Levin apareceram, tentando arruinar tudo.

O juiz Levin iniciou os trabalhos lembrando Heidnik da decisão anterior, de agosto, que o obrigava a pagar pensão alimentícia para Betty. Nessa época, JJ nem tinha nascido: "Consta nos autos, que o acusado [Heidnik] é dotado de posses. Em primeiro lugar, a parte queixosa [Betty] gostaria do reajuste dos valores em atraso. E, em segundo lugar, creio que há um problema com os salários anexados. Os autos apontam que a Administração dos Veteranos não pode deduzir a pensão alimentar do contracheque. É isso mesmo?"

"Eu", Heidnik gaguejou, "eu ainda não entendi o que quis dizer com posses."

Juiz Levin: "Bem, de acordo com os registros, você tem 28 mil...".

Heidnik: "Se eu tenho isso, quero muito saber onde tá".

"Bem, ou há algum engano aqui, ou estou no caso errado. Você tem conta no Merrill Lynch?"

"Não."

"Você tem conta em banco?"

"Sim, senhor."

"Quanto tem na sua conta?"

"Cerca de 2 mil."

"Ok", disse Levin.

"Gostaria de saber onde tá o resto", Heidnik acrescentou.

Nos minutos seguintes, eles discutiram. Levin perguntava e Heidnik se fazia de louco. O juiz Levin conseguiu que Heidnik admitisse que recebia 400 dólares por mês da Previdência Social.

"Certo. Me responda uma coisa", disse Levin. "Por que você recebe dinheiro da Previdência por invalidez? Qual é o problema?"

"Você quer dizer qual é minha doença?"

"Você deve ter alguma doença. A Previdência não dá dinheiro para os saudáveis... não da sua idade, ao menos. Tem que ter uma doença."

"Sim. Eu... tenho distúrbio nervoso."

"Certo", o juiz Levin respondeu. "Quanto recebe como veterano por mês?"

Relutante, Heidnik admitiu receber em torno de 1,3 mil dólares.

Após longa discussão a respeito da alegada incapacidade de Heidnik de excluir a companheira com quem viveu em união estável (Dorothy, em 1971) de seu registro social, o assunto passou a ser o valor do salário recebido por Heidnik da Administração dos Veteranos.

"Há quanto tempo você é considerado inválido?", o juiz Levin perguntou.

"Cerca de vinte, 21 anos."

"Ah! Ok. Em outras palavras..."

"Bom, na verdade, desde que fui dispensado do Exército."

"Quando foi dispensado do Exército?"

"Fui dispensado... em 1963."

"Ok."

"E aí..."

"No momento em que você foi dispensado, a uma certa altura pediu..."

"Aí, em 1966, me passaram para 100%. Antes, eu recebia mais ou menos 10%."

A discussão de súbito tomou outro rumo. Novamente, Previdência Social. Heidnik disse que um dos motivos para estar com a pensão atrasada era porque não conseguia convencer a Previdência Social a colocar Betty no lugar de Dorothy como sua beneficiária.

O juiz Levin questionou: "Quando você tentou colocar Betty, disseram a você 'Como pode provar que ela é sua esposa se você ainda tem outra esposa?'".

"Sim", Heidnik concordou. "Algo assim."

"Ok. Agora entendo."

"Tentei explicar pra eles que não tinha mais visto a outra mulher [Dorothy]. Eles já tinham tirado ela. Era isso que eu tinha entendido, que ela já não tava mais incluída. Eu tava recebendo por mim e por ela. Não Betty, mas a outra mulher, entende? E aí, ali por 78, 79, 80, mais ou menos nessa época, eles excluíram de verdade ela do registro, e passei a ganhar só a minha parte. Aí eu... achei que o casamento tinha sido invalidado pela Administração dos Veteranos, porque, sabe, era o único lugar que tinha registro disso, por assim dizer. Mas aí, quando levei Betty até lá para incluir ela na papelada, me disseram isso."

O juiz Levin decidiu perguntar sobre o histórico mental de Heidnik.

"Qual é o seu problema mental?"

"Qual meu problema mental?"

"Sim."

"Sabe, os médicos não são muito específicos quando falam disso. Eles... eles me fazem frequentar terapia de grupo todo mês, e eu... eu tomo medicação. Coisas assim."

"Sr. Heidnik", Levin disse, voltando ao dinheiro, "você não tinha 11 mil dólares aplicados na Fidelity Investimentos em 1986?"

"É possível."

"O que aconteceu com esse dinheiro?"

"Bom, comprei um carro para Betty, entre outras coisas."

"Quando comprou um carro para ela? "

"Em 1986."

"1985", interveio Betty Heidnik.

"Ah! Foi 1985?", Heidnik perguntou.

"Você tinha 11.092 dólares em uma conta em 1986", Levin prosseguiu. "O que aconteceu com esse dinheiro?"

"Eu... eu pago prestações de uma casa, entre outras coisas."

"O dinheiro ainda está lá, certo?", Levin disse em tom acusatório.

"Não, não tá. Você fala da Fidelity?"

"Sim... o que aconteceu com aquele dinheiro da Fidelity?"

"Diminuiu uns 2 mil."

"Diminuiu 2 mil? Ainda restam 9 mil?"

"Não, não. Diminui e agora só tem 2 mil."

"Que aconteceu com os outros 9 mil?"

"Eu gastei."

Vendo que não chegava a lugar algum, o juiz Levin abordou a questão da igreja.

"O que é a Igreja Unida dos Ministros de Deus?", perguntou a Heidnik.

"É a igreja da qual faço parte."

"Você é o bispo?"

"É um título honorário."

"De quem é o dinheiro na conta no banco Merrill Lynch?"

"No Merrill Lynch?"

"Sim."

"Do Merrill Lynch, acho."

Isso deve ter zangado Levin. "Você não tem dinheiro nenhum no Merrill Lynch?", perguntou.

"Não, não tenho."

"Bom, você controla o dinheiro da Igreja Unida dos Ministros de Deus? Você lida com esse dinheiro pessoalmente?"

"Sim, creio que se pode dizer isso."

"Muito bem, e com que quantidade de dinheiro você lidou?"

"Custou à igreja 80 mil. Diminuiu um pouco."

"Você custou a eles 80 mil?", o juiz Levin perguntou, incrédulo.

"Tinha uma companhia, a Crazy Eddie, e eu comprei as ações..."

"Certo."

"...e, quando comprei, cada ação valia 16 dólares e agora vale uns 9 dólares. Ficaram meio zangados comigo depois dessa. Mas não resisti à Crazy Eddie."

"E como você as comprou? Quem lhe deu permissão para comprar?"

"A mesa diretora."

"Quem compõe a mesa diretora?"

"O reverendo Mosley, meu irmão e uma mulher que agora não lembro o sobrenome..."

"Você quer dizer que o dinheiro no Merrill Lynch não é seu?"

"Não. É dinheiro da igreja."

"Da igreja. Por que não me contou? Por que está sendo evasivo?"

"Você perguntou se eu tinha algum dinheiro."

"Você está sendo evasivo."

"Não. Você perguntou..."

"Você sabe o que significa a palavra 'evasivo'?"

"Acho que sim."

"Também acho que saiba. Você está me enrolando. Você sabe muito bem da conta no Merrill Lynch. Você tinha 300 mil dólares nessa conta. Mais de 300 mil dólares."

"Esse dinheiro não é meu."

"Se é assim, por que você não me disse, 'Esse dinheiro não é meu'?"

"Eu disse. Você perguntou se eu tinha dinheiro no Merrill Lynch. Eu disse que não, não tenho. Você tá falando do meu dinheiro, certo? Eu não tenho dinheiro nenhum no Merrill Lynch."

"É dinheiro deles?"

"Dinheiro da igreja."

"E a conta na Fidelity?"

"É dinheiro meu."

"E quanto tem naquela conta agora?"

"Mais ou menos 2 mil."

"E o que aconteceu com os outros 9 mil?"

"Bom, eu... eu não anotei tudo, mas sei que paguei a conta de gás, que ia ser cortado. Gastei mil dólares no conserto do meu carro, que estava caindo aos pedaços. Tenho essa nota fiscal."

O juiz Levin estava cansado. "Ok", ele falou. Após discutir a possibilidade de dinheiro para JJ com Betty, ele disse que não deixaria a questão sem solução.

"Teremos outra audiência assim que ele for psicologicamente avaliado", enunciou, para registro. "Vou pedir que nosso departamento dê uma olhada nele, vou pedir seus registros na Administração dos Veteranos, para que eu saiba com quem estou lidando. Não sei com quem estou lidando. Estou vendo um homem que parece muito inteligente, mas que parece ser evasivo. Não sei se é algo deliberado, se ele está respondendo honestamente. Não tenho como afirmar, certo? Sei que ele teve controle sobre mais de 300 mil dólares. Mas não sei se o dinheiro é dele ou da igreja."

Dirigindo-se a Heidnik, o juiz Levin deu um conselho: "Não venda as ações da Crazy Eddie. Elas ainda podem subir".

Os testes requisitados pelo juiz Levin foram realizados em março. A essa altura, já estava dando tudo errado para Heidnik. Em janeiro, ainda era arrogante, mas, em março, sua personalidade já era bem diferente. Quando foi examinado, duas das mulheres sequestradas estavam mortas. Era um momento de crise extrema. Os exames foram muito reveladores. Contudo, chegaram tarde demais.

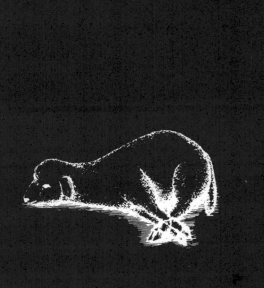

17

PROCESSADOR

07.02.1987

Sandra Lindsay estava com péssima aparência. Ficou com o pulso erguido por uma semana, preso a um gancho como punição por tentar empurrar a tábua de compensado que cobria "o buraco". O castigo foi estendido quando se recusou a comer, e Heidnik, por achar que ela estava grávida, tentou alimentá-la à força. Enfiou pequenos pedaços de pão na boca de Lindsay e cobriu os lábios dela para que engolisse tudo.

Ela não estava mais conseguindo resistir. Nos últimos dois dias, tinha vomitado e reclamado de febre. Heidnik ignorou e insistiu que comesse.

Josefina Rivera sabia que uma crise estava prestes a se instaurar quando olhou e viu que Lindsay tinha desmoronado e não se levantava mais. Percebendo que Heidnik ficaria ainda mais zangado se descesse e a encontrasse daquele jeito, Rivera e as outras começaram a tentar encorajar a mulher semiconsciente. Ela não se moveu.

Foi aí que Heidnik desceu as escadas, olhou para Lindsay e mandou que ficasse de pé. Ela se levantou, e ele saiu. No entanto, poucos minutos depois, ela caiu novamente. Dessa vez, Heidnik fez mais do que apenas falar com ela.

Quando soltou a algema, o corpo de Lindsay desabou. Heidnik levou-a aos chutes até o buraco. "É fingimento", disse.

Ele caminhou até o freezer do outro lado da sala e serviu três potes com sorvete. Deu um deles à Rivera, o outro para Thomas e ficou com o último para si. Foi comer no andar de cima. Quando voltou, alguns minutos depois, e percebeu que Lindsay não tinha se mexido, puxou ela para fora do buraco e tentou medir o pulso. Mas não havia nenhum: estava morta.

Heidnik olhou para ela durante um minuto e falou, "ela engasgou com um pedaço de pão".

A morte dela era um grande problema para Gary. Não apenas atrasava seu plano de reunir um grupo de máquinas de fazer bebês, como também o obrigava a decidir o que fazer com o corpo. Caso largasse o cadáver em algum lugar e o encontrassem, poderia ser identificado. E, se identificassem Lindsay, chegariam até ele. De vez em quando, a irmã dela vinha com os primos, procurá-la. Ele concluiu que simplesmente não podia se livrar do corpo. Teria que destruí-lo.

Heidnik colocou Lindsay no ombro, feito um saco de cimento, e a carregou para o andar de cima. Algum tempo depois, as mulheres no porão ouviram o que parecia ser uma serra elétrica. Elas se entreolharam e estremeceram.

Os cachorros de Heidnik, Medroso e Urso, podiam circular pela casa. Às vezes, quando a porta do andar de cima ficava aberta, eles levavam suas rações para o porão e comiam embaixo da mesa de bilhar. Algumas horas depois de Heidnik subir com o corpo de Lindsay, Urso desceu a escada carregando um osso branco e comprido com pedaços de carne vermelha. As mulheres olharam para o osso, depois se entreolharam, e todas pensaram a mesma coisa: queriam estar perto o suficiente para poder pegar aquela carne.

Mais tarde, quando procuravam provas, os investigadores não identificaram qualquer mancha de sangue na serra elétrica de Heidnik. Isso os fez concluir que ele se livrou da ferramenta usada para picotar o corpo de Lindsay. Alguns dias após a morte dela, ele comprou um processador de alimentos. E, embora não tenham encontrado manchas de sangue ou vestígios do corpo no utensílio, os investigadores se convenceram de que foi usado para triturar partes do corpo de Lindsay. Heidnik contou para Rivera que misturou a carne moída com a comida para cachorro e a serviu para Medroso, Urso e as prisioneiras. Tudo aquilo que não foi imediatamente moído foi guardado em sacos plásticos brancos e armazenado com cuidado no compartimento do freezer, na geladeira do andar de cima.

As partes mais difíceis de moer — cabeça, mãos, pés e costelas — tentou destruir via cozimento. Aquilo criou um odor terrível, que quase sufocou as mulheres no porão e importunou toda a vizinhança, de tão forte.

Apesar de os vizinhos terem chamado a polícia, foi um policial novato que respondeu à chamada e foi embora quando Heidnik disse que havia queimado o assado do jantar. O cheiro ficou impregnado por dias, poluindo o ar, deixando roupas malcheirosas e, principalmente, impregnando o próprio Heidnik. Naquela noite, pela primeira vez desde o dia em que capturou a primeira vítima, 26 de novembro, Heidnik não foi até o porão exigir sexo. Porém, nos dias seguintes, quando retomou as demandas sexuais, o cheiro de carne queimada era tão intenso que era difícil as mulheres não vomitarem.

Heidnik ainda não sabia, mas seus dias estavam contados. O grandioso plano de criar uma fábrica de bebês no porão estava rapidamente desmoronando muito rápido. Contudo, antes da derrocada total, suas prisioneiras ainda sofreriam muito, e mais uma delas morreria.

Jame Gumb após quarto, o labirinto que nos nossos sonhos.

percorre quarto
porão, como um
atormenta e aos

— *O Silêncio dos Inocentes*,
Thomas Harris

18
CHOQUE
08.02.1987 – 18.03.1987

Após a morte de Sandra Lindsay, Heidnik ficou ainda mais paranoico. Convencido de que as mulheres conspiravam contra ele, instituiu um sistema de informantes, para que pudesse evitar qualquer plano de fuga. A recompensa por dedurar era ficar fora do buraco, ter comida um pouco melhor e um pouco mais de liberdade.

A paranoia de Heidnik quanto a planos de fuga não era totalmente injustificada. Em determinado momento, as quatro criaram um plano: Deborah Dudley acertaria Heidnik com um cano de ferro que desenterraram, e as outras usariam o que estivesse à mão para apunhalá-lo. Posteriormente, no julgamento de Heidnik, Askins declarou que, antes de poderem colocar o plano em prática, Rivera o alertou.

Heidnik também havia decidido que era melhor mantê-las desinformadas do paradeiro dele. Quando estava em casa, elas conseguiam ouvir seus passos com facilidade; quando partia, conseguiam ouvir a porta fechar e o carro se afastar. Ele concluiu que a solução seria impedi-las de ouvir, o que culminou em uma das torturas mais cruéis contra elas.

Ele levou Deborah Dudley, Lisa Thomas e Jacquelyn Askins até o gancho, uma de cada vez, algemando uma das mãos, como costumava fazer. Dessa vez, também algemou os pés. Em seguida, enfiou um saco plástico na boca, para servir de mordaça, e envolveu a cabeça de cada uma com fita adesiva. Por fim, segurando cada vítima com um braço em torno do pescoço, enfiava uma chave de fenda nos ouvidos delas, para danificar os tímpanos.

"Ele usou três tipos de chaves de fenda", Thomas contou depois, "pequena, média e grande. Ele enfiava nos ouvidos da gente até sair pus."

Uma vez mais, Rivera foi poupada.

A pessoa que mais dificultava a vida de Heidnik nesse período era Deborah Dudley, que o desafiava em tudo que ele tentava fazer. Certo dia, com o intuito de fazer com que ela obedecesse por medo, ele a tirou do gancho e a arrastou até o andar de cima. Eles voltaram poucos minutos depois, e Dudley estava atipicamente quieta. Rivera a questionou. "O que aconteceu?", perguntou. "O que ele fez com você?"

Por fim, Dudley sussurrou: "ele me mostrou a cabeça de Sandra Lindsay na panela. E as costelas numa assadeira, e tinha outras partes dela no freezer. Falou que, se eu não obedecer, a mesma coisa vai acontecer comigo".

Aquela visão não a conteve por muito tempo. Em um ou dois dias, ela já o estava provocando tanto quanto conseguia.

Nessa época, Heidnik introduziu mais uma tortura: choques elétricos.

Heidnik arrancou a ponta de uma extensão elétrica comum e descascou o fio. Ele ligou a outra ponta na tomada e, com a corrente fluindo pelo fio, tocava a ponta desencapada nas correntes das mulheres e gargalhava quando elas pulavam e gritavam. Para obter máximo efeito, as submergia na água.

Em 18 de março, quarta-feira, ele decidiu que todas as mulheres, exceto Rivera, precisavam ser punidas. Por isso, meteu-as no buraco e, com Rivera assistindo a tudo, encheu de água, com uma mangueira. A cobertura do compensado possuía diversos furos, que serviam como respiro. Quando as mulheres estavam no buraco, conseguiam vislumbrar o que acontecia no porão.

Nesse dia, estavam encolhidas de medo no buraco. Sabiam o que iria acontecer. Thomas, a maior das três, estava no fundo do fosso, com Askins e Dudley no colo. Elas conseguiam enxergar o fio descendo por uma abertura. As mulheres observaram ele descer até as correntes fixadas fora do buraco em um cano. Quando o fio desencapado tocou um elo de metal da corrente, a energia elétrica atravessou seus corpos. Elas gritaram.

"Eu não conseguia ver a Nicole com o fio elétrico, mas ouvi ela dizer que não aguentava mais", Thomas disse mais tarde.

O fio elétrico tocou direto na corrente que prendia Dudley, que recebeu a maior carga. "Ele vai me matar", berrou.

E estava certa. Segundos depois, ela tombou. Thomas e Askins ouviram algo cair na água e olharam para o lado. Dudley estava encurvada, caída de rosto na poça lamacenta.

"Ela morreu", Thomas gritou. "Você matou ela. Não sinto o coração."

Heidnik, pensando que o fio elétrico não estava funcionando, correu até o andar de cima para arranjar outro. Quando voltou, Rivera contou que Thomas dissera que Debbie tinha morrido.

"Não", Heidnik respondeu, "não tem nada errado com a Debbie. Não quero ouvir essa merda."

Thomas levantou a chapa. "Tem, sim, algo errado com a Debbie", falou. "Ela morreu."

Heidnik caminhou até o fosso e olhou dentro. "Sabe, a Debbie tá com a cara na água", ele disse a Rivera.

"Levanta a mão", ele gritou para Thomas e soltou a algema que a prendia a Dudley. Depois, puxou Askins do buraco e tentou alcançar Thomas, que parecia estar em choque. Ele a agarrou pelo braço e a tirou do buraco. Em seguida, se agachou e retirou o corpo de Dudley.

Quando Thomas voltou a si, estava deitada no piso de concreto do porão e sem as algemas. Ela ergueu os olhos e viu Heidnik calmamente preparando sanduíches com comida de cachorro. A poucos metros, estava o corpo de Dudley.

"Não ficam felizes que não foi vocês?", disse Heidnik, puxando conversa. Olhando para o corpo de Dudley, acrescentou: "Essa é a cuzona que causou a morte da Sandy".

Depois de fazer sanduíches para elas, Heidnik subiu. Voltou alguns minutos depois, trazendo material para escrever. Entregou uma folha de papel em branco para Rivera, mandando que escrevesse.

"Ponha a data no alto", ditou. "18 de março de 1987." Ela obedeceu. "Agora, o horário."

Escreveu "18h30".

"Agora escreva: 'Eu, Nicole Rivera, e Gary Heidnik matamos Debbie Johnson (Dudley) aplicando eletricidade na corrente dela enquanto estava em uma poça d'água no buraco do porão da casa número 3.520 da rua Marshall'."

Depois de mandá-la assinar, ele assinou logo abaixo. Também obrigou Askins e Thomas a assinarem como testemunhas.

"Agora tenho esta carta", disse a Rivera. "Se algum dia você falar com os tiras, posso usar isso como prova de que matou Debbie."

Ele se inclinou para a frente, soltou as algemas de Rivera e mandou que ela fosse até o andar de cima colocar uma camisa limpa e uma calça. Era a primeira vez em quase quatro meses que ela ficava livre das correntes. E também a primeira vez que colocava calças. As outras a observaram partir, tomadas pela inveja.

Heidnik deixou o corpo de Dudley no piso durante a noite. Na manhã seguinte, enrolou a cabeça e os pés em plástico e carregou o corpo até o freezer. Após remover alguns potes de sorvete e outros alimentos, pôs o corpo dentro do freezer, fechou a tampa e colocou vários sacos de terra em cima. E começou, a partir desse momento, a fazer planos para se livrar dela. Já que ninguém poderia ligá-lo à Dudley, como poderia ter acontecido com Sandra Lindsay, não tinha nenhum receio. Desovaria o corpo assim que encontrasse um lugar adequado. Com o corpo no freezer, não havia pressa. Ele subiu as escadas para encontrar Rivera. Naquela noite, faria um agrado a ela. Iriam comer fora.

19

FREEZER

18–23 Mar.1987

Depois da morte de Deborah Dudley, o padrão de vida de Josefina Rivera melhorou consideravelmente.

Seguro de que a carta assinada por Rivera o protegeria de traição, Heidnik a tratava mais como namorada e menos como prisioneira. Certa noite, eles foram até o McDonald's próximo ao Instituto Elwyn, que Heidnik costumava frequentar. Ele escolheu esse lugar especificamente para que os amigos o vissem com outra mulher, reforçando a declaração de que Sandra Lindsay não estava com ele. Lá, encontraram Tony Brown e Gail. Eles perguntaram onde Sandy estava.

"Acho que a família mandou a Sandy pra algum lugar pra ficarem com a grana dela da Previdência Social", Heidnik respondeu.

Depois disso, eles foram a uma loja de acessórios para que Heidnik comprasse dois armários novos para a cozinha.

Certo dia, foram a uma loja de peças automotivas, onde Heidnik comprou uma lata de óleo para a transmissão do Rolls-Royce. Depois, ele levou o carro para conserto em uma oficina.

Eles passaram por todo o circuito de fast-food, todos os lugares que Heidnik gostava de frequentar: McDonald's, Roy Rogers, Denny's, Wendy's. Em um restaurante, Rivera e Heidnik ficaram de mãos dadas.

Compraram uma nova peruca para Rivera. Fizeram sexo. Heidnik começou a confiar nela.

"Se algum dia for pego", disse, "vou me fazer de louco. Vou entrar no tribunal e bater continência pra todo mundo." Ele se gabava, dizendo que manipularia qualquer exame. "Conheço eles muito bem", afirmou. "Aprendi como burlar pra continuar recebendo meu benefício."

Certa noite, cruzaram o rio Delaware e foram para New Jersey. Quando chegaram a uma área de mata, conhecida como Descampado dos Pinheiros, Heidnik parou, ligou a luz alta e deu uma olhada ao redor. "É o lugar perfeito pra desovar o corpo da Debbie", falou para Rivera.

Na volta, parou num mercado de pulgas e numa loja de música, onde Heidnik comprou alguns discos.

Pouco antes da meia-noite de 21 de março, um sábado, Heidnik disse que era hora de se livrar de Dudley. "Pega um cobertor", ordenou, "e coloca no chão da cozinha."

Ele entrou no porão, tirou o corpo de Dudley do freezer e levou para o andar de cima, estendendo-o sobre o cobertor.

"Quero que você olhe para ela", disse a Rivera.

"Eu não quero", ela respondeu.

Ele insistiu, puxando o plástico que cobria o rosto daquele corpo. "Olha", ele mandou. "Vai te dar força."

Rivera deu uma olhada rápida.

Heidnik carregou o corpo até o quintal e o colocou no porta-malas de seu velho Dodge Dart, que nem de longe chamaria tanta atenção quanto o Cadillac. Voltaram ao Descampado dos Pinheiros e dirigiram por uma estrada de terra. Após alguns minutos, Heidnik parou. Não havia nenhuma luz por quilômetros.

"Aqui já está bom", pensou.

Rivera se encolheu no carro enquanto Heidnik pegou o corpo de Dudley do porta-malas e o carregou pela clareira no meio das árvores. Rivera ouviu os galhos quebrando enquanto ele caminhava.

Em poucos minutos, ele voltou. Largou as luvas pretas no painel e acelerou para longe. Quando chegaram à Filadélfia novamente, parou para comprar um jornal. "Quero checar minhas ações", ele falou para Rivera.

No dia seguinte, mencionou querer uma substituta para Dudley. Seu harém agora tinha apenas duas mulheres — Thomas e Askins —, sem contar Rivera. Ele estava bem longe do grupo de dez mulheres que idealizou.

Na noite de 23 de março, uma segunda-feira, ele e Rivera entraram no Cadillac e saíram em busca de uma candidata. Em pouco tempo, viram um rosto que ambos conheciam.

Parada na esquina, esperando cliente, estava Agnes Adams, 24 anos, pequena e de pele escura. Rivera a conhecia como "Vickie", que, por sua vez, conhecia Rivera como "Nicole". Se conheciam da Hearts and Flowers, uma boate de *strip-tease*, onde ambas trabalharam.

Heidnik também a conhecia, mas não de nome. Chegou a sair com ela numa noite de janeiro, quando procurava sexo longe do porão. Naquela ocasião, concordou em pagar 35 dólares em troca de sexo oral. Ela entrou no Cadillac, e foram até a rua Marshall. Quando chegaram lá, havia um carro estacionado na entrada da garagem de Heidnik, e ele não conseguiu achar nenhuma vaga na vizinhança. Pelo tempo dela, pagou 10 dólares e a deixou no centro de novo.

Encontraram-se novamente em fevereiro, quando Heidnik a apanhou ao meio-dia, na esquina da rua Cinco com a Girard. Dessa vez, conseguiu entrar na garagem. Levou a mulher até a cozinha, deu um refrigerante para ela e ficou observando enquanto ela jogava video-game. Depois, foram para o andar de cima, e ela fez sexo oral nele. Ele pagou os 35 dólares, abriu a porta para a mulher e se despediu. Ela voltou para casa a pé. Naquele dia, não fez qualquer tentativa de capturá-la para integrar o grupo no porão. Ele era exigente com suas escolhas.

No entanto, dessa vez, a situação era diferente.

Negociaram um cachê de 35 dólares, e os três — Heidnik, Rivera e Adams — foram até a rua Marshall. Quando chegaram lá, Heidnik entregou a chave para Rivera e ordenou que trancasse a porta. Ele e Adams foram para o andar de cima e transaram, e logo ocorreu aquela que, sem pudor, poderíamos chamar de "Manobra de Heidnik". Ele a sufocou, algemou, puxou escada abaixo e jogou no buraco. Rivera permaneceu na cozinha, bebendo cooler.

"Essa foi fácil", Heidnik disse a Rivera. "Podemos fazer de novo amanhã."

Rivera apenas concordou. Mas tinha outros planos.

20

FUGA

24–25 Mar.1987

Josefina Rivera sentia que era o momento de tentar a sorte. Durante toda a terça-feira, dia 24 de março, tentou convencer Heidnik de que precisava visitar a família dela. Afinal de contas, tinha sumido por quatro meses. Se a deixasse ir, prometeu que encontraria outra mulher para ele.

Heidnik, por fim, concordou. Afinal, ele tinha a carta, correto? "Mas se tentar fugir", advertiu, "vou matar as outras."

Naquela noite, eles saíram tarde com o Cadillac. Tudo quieto no porão, Thomas e Askins estavam encolhidas sobre um acolchoado. Após a morte de Dudley, Heidnik tinha cedido consideravelmente e arranjado para elas travesseiros, cobertores e até uma TV.

O plano era deixar Rivera na casa dela, onde veria os filhos, depois pegaria uma mulher e o encontraria no estacionamento do posto de gasolina, no cruzamento da rua Seis com a Girard, por volta da meia-noite.

Assim que Heidnik a deixou, Rivera rumou para o apartamento do namorado, Vincent Nelson, a quatro quadras dali.

Nelson ficou chocado. Essa mulher o havia abandonado no meio de uma briga, quatro meses antes, e não teve notícia dela desde então. E agora voltou, ele contou à polícia um tempo depois, batendo à porta e tocando a campainha ao mesmo tempo, falando sem parar sobre alguém mantê-la refém.

"Quando ela apareceu, enquanto a gente subia a escada, ela falava sem parar, sabe, falava rápido pra caramba de um cara que tinha três garotas acorrentadas no porão de casa e que estava mantida em cativeiro há quatro meses. Ela disse que duas garotas morreram e que tinha mais três num buraco no piso do porão, acorrentadas, e que ele ia matar todas elas se Rivera não voltasse com mais uma garota em um determinado horário."

Quanto mais ela falava, menos a história parecia verídica.

"Ela disse que ele as espancava, estuprava, fazia comerem gente morta, um lunático totalmente frio. Tinha cachorros no quintal roendo ossos de gente. Eu achei que ela tava doida. Não acreditei mesmo e ainda não acredito nessa merda."

"Eu disse que ia até lá com um martelo pra arrebentar ele, e Rivera falou: 'Não, pode assustar, e ele vai voltar e matar as outras'."

De acordo com o que Nelson contou ao repórter do *Inquirer*, A. Paolantonio, Rivera e ele saíram do apartamento e caminharam para a esquina da rua Seis com a Girard. Mas, quando estavam a mais ou menos meia quadra do lugar, Nelson pensou bem e decidiu que seria melhor chamar a polícia.

Pararam em um orelhão, Nelson discou 911 e passou o telefone para Rivera. A princípio, os policiais também não acreditaram nela. Um policial a mandou ficar onde estava, pois uma unidade seria encaminhada para lá naquele momento.

Minutos depois, os policiais David Savidge e John Cannon estacionaram.

Como todos os outros naquela noite, Savidge e Cannon não se convenceram. A história contada por Rivera era incrível demais para ser verdade. Contudo, quando viram as lesões e cicatrizes nos tornozelos, causadas pela corrente, passaram a acreditar.

Quando Rivera revelou aos policiais que Heidnik esperava por ela a três quadras de distância, Savidge e Cannon foram imediatamente para lá. Entraram no estacionamento e encostaram atrás de um Cadillac 1987. O motor do veículo estava ligado, e havia um homem ao volante.

Cannon, baixo e atarracado, grisalho, foi pelo lado do passageiro; Savidge, alto e de porte atlético, loiro e com cabeça mais alongada que a do parceiro, se aproximou pelo lado do motorista. Empunhavam suas armas. Heidnik percebeu Savidge chegando e ergueu as mãos.

"O que aconteceu, policial?", perguntou, surpreso. "É por que não paguei a pensão?"

Savidge o olhou de perto. "Não", respondeu em tom calmo, "é um pouquinho mais sério."

Heidnik foi algemado e levado para o prédio da Unidade de Crimes Sexuais, onde Rivera dava detalhes do ocorrido enquanto era interrogada.

Outra vez, Heidnik olhou para Savidge: "É por causa da pensão?".

"Não", Savidge disse de novo. "É por sequestro, estupro e assassinato."

Ainda assim, Heidnik repetiu isso a noite toda: que a polícia realmente estava interessada nos pagamentos atrasados da pensão alimentícia.

21

LIVRES

25.03.1987

4h30

O sargento Frank McCloskey estava pronto para cumprir seu dever. Ele estava parado do lado de fora do número 3.520 da rua Marshall fazia quatro horas e meia, esperando ordens para agir. Quando chegou ao local, fez o mesmo que o policial Julio Aponte tinha feito 43 dias antes. Primeiro, bateu à porta. Conferiu se havia alguma aberta. Espiou pelas janelas. Não viu nada. Quando reportou o insucesso, o operador pediu que aguardasse no local.

Tudo que sabia era que um sujeito chamado Gary Heidnik tinha sido preso por volta da meia-noite, depois que uma mulher desesperada ligou para o 25º Distrito e contou uma história doida sobre ter ficado quatro meses presa numa casa, onde talvez houvesse mais três mulheres ainda presas no porão. Foi preciso esperar até que conseguissem um mandado de busca para arrombar a porta.

Pouco antes das 5h, mais policiais chegaram. Eles traziam o mandado. Entre os recém-chegados, estava o policial David Savidge, o primeiro a ouvir a história de Rivera direto da boca dela.

Enquanto Savidge e McCloskey observavam, outro sargento tentava sem sucesso abrir as portas com as chaves de Heidnik. Quando viu que não iria dar certo, o tenente da Homicídios, James Hansen, pediu o pé de cabra.

Doris Zibulka estava dormindo na casa vizinha. Quando Hansen começou a forçar a porta com o pé de cabra, ela achou que era a casa *dela* que estavam arrombando. "Eu quase caí da cama."

Após derrubarem a porta, Hansen foi para a cozinha; Savidge e McCloskey seguiram para o porão.

McCloskey percebeu sacolas brancas por todo o cômodo. Havia um colchão bem no meio da sala, com duas mulheres envoltas em cobertores encostadas uma na outra para se esquentarem. Elas dormiam.

Quando ouviram a comoção, saltaram da cama e começaram a gritar.

"Polícia", McCloskey gritou. "Somos da polícia. Viemos ajudar. Ninguém vai machucar vocês."

Elas ficaram de pé, deixando o cobertor de lado. Exceto pelas meias, ambas estavam nuas da cintura para baixo. As duas com grilhões nos tornozelos, conectados a correntes grossas. Uma delas era Lisa Thomas, a outra Jacquelyn Askins.

"Tem outras mulheres?", McCloskey perguntou. "Mais alguém além de vocês?"

As duas apontaram para a pilha de sacolas brancas em cima de uma tábua, do outro lado da sala.

"Ela", Thomas falou.

McCloskey, lembrando que a história contada pela mulher incluía um desmembramento, pegou uma sacola.

"Aqui?", perguntou sem acreditar.

"Não, debaixo da tábua", Thomas respondeu. "Ela tá no buraco."

McCloskey tirou as sacolas e deslizou a tábua para o lado. Agachada, dentro do fosso raso, estava Agnes Adams. Ela tentou se levantar, mas se desequilibrou e tropeçou. McCloskey pegou-a pelo braço e a retirou do buraco. Estava completamente nua, acorrentada como as outras e, além disso, tinha as mãos algemadas atrás de si.

Ela também gritou.

"Tá tudo bem", McCloskey disse. "Viemos ajudar vocês."

"Livres!", Thomas e Askins gritaram. "É a polícia!" Elas agarraram as mãos de McCloskey e as encheram de beijos. "Estamos salvas!", gritavam.

Adams ainda estava em choque: "Ele pegou de volta os 30 dólares", gritou com raiva. "Quero meus 30 dólares."

"Não se preocupe", McCloskey disse.

Com suas chaves, tentou abrir as algemas que prendiam as mãos de Adams, mas não conseguiu.

"Tenta com esta", outro policial disse, emprestando suas chaves. Abriram. E, assim, começaram a remover os ferros das pernas de Agnes.

McCloskey observou que os tornozelos das prisioneiras estavam cobertos de hematomas e cortes. Alguns eram recentes, outros já tinham cicatrizado. Não conseguiram soltar os parafusos e pediram ao pessoal no andar de cima que arranjassem um alicate de corte. Também chamaram uma ambulância e pediram camisolas de hospital, para que as mulheres se vestissem.

Elas estavam tão magras que pareciam prisioneiras de guerra. Disseram que estavam famintas.

"Gary guardava sorvete no freezer", Askins disse, apontando para o baú onde o corpo de Deborah Dudley tinha sido mantido enquanto Heidnik procurava um local para desová-lo. "A gente pode comer?"

"Acho melhor vocês não comerem sorvete ainda", disse McCloskey. "Esperem os médicos examinarem vocês."

Eles soltaram os pés delas e as acompanharam até a ambulância. No meio do caminho, passaram pela sala de jantar, onde Heidnik tinha deixado alguns biscoitos em cima da mesa. Elas agarraram os biscoitos e devoraram.

Com as mulheres sob cuidados médicos, os policiais vasculharam a casa. Numa prateleira do guarda-roupa, encontraram uma pilha grande de revistas pornográficas, todas de mulheres negras.

Enquanto McCloskey subia a escada, Savidge entrou na cozinha. Ele viu uma panela de alumínio no fogão. A parte de dentro estava chamuscada e coberta por uma substância amarelada. Ao abrir o forno, encontrou uma assadeira de metal toda queimada, com um pedaço de osso que parecia um bocado com uma costela. No balcão, tinha um processador de comida profissional, com sinais de uso recente. Ao abrir o freezer, na primeira prateleira, encontrou um antebraço humano.

Foi demais até para Savidge, um veterano. Sentindo a bile subir pela garganta, correu para fora e respirou ar puro, se esforçando para não vomitar.

22

MANCHETES

26.03.1987

Quando a notícia se espalhou, a imprensa foi à loucura. Havia tantos detalhes macabros para cobrir que os repórteres nem sabiam por onde começar. Os crimes em si eram incrivelmente horrendos: assassinato, estupro, escravidão, tortura, desmembramento e canibalismo. Havia a questão racial envolvida. Além disso, rondando em segundo plano, estavam dois espectros gêmeos que garantiriam a atenção de todos quando fossem vinculados ao escândalo todo: dinheiro e religião. Gary Heidnik, definitivamente, não era só mais um pobretão morador do gueto, não com um portfólio de ações no Merrill Lynch avaliado em torno de 550 mil dólares, mesmo com o prejuízo da Crazy Eddie. A conta de ações estava no nome da Igreja Unida dos Ministros de Deus, mas, depois, a polícia descobriu que Heidnik também tinha uma conta pessoal com mais de 16 mil dólares. Talvez houvesse mais contas que a polícia não conseguira localizar.

Foi um caso de sobrecarga midiática; havia elementos sensacionalistas demais para que um único jornal lidasse com tudo. Mas bem que tentaram.

O horário em que Heidnik foi preso fez com que o primeiro jornal a noticiar o caso fosse o tabloide da Filadélfia *Daily News*. Quando a edição matinal chegou às ruas por volta das 8h, foi com uma nota relativamente pequena na página três, com a manchete JOVENS ENCONTRADAS ACORRENTADAS; BRAÇO HUMANO ACHADO EM GELADEIRA NA ZONA NORTE DA FILADÉLFIA.

Mas, quando a edição da tarde foi impressa, Heidnik já era a notícia de capa. TERROR NA RUA MARSHALL era a manchete e, em letras menores, *Homem mantinha reféns acorrentadas; vítimas relatam surras, sexo e a morte de duas mulheres.* Nas páginas internas, havia meia dúzia de matérias, incluindo um perfil de Heidnik compilado a partir de entrevistas dos vizinhos. A manchete principal dizia: TRÊS JOVENS EM CATIVEIRO LIBERTADAS, PARTES DE CORPO ENCONTRADAS; HOMEM É PRESO.

O *Inquirer*, mais sério, só conseguiu publicar a notícia no dia seguinte, mas compensou a falta de urgência com o tamanho da matéria. Uma caixa preta ocupando toda a largura da capa dizia HOMEM PRESO POR TORTURA E ASSASSINATO, com o subtítulo *Três mulheres acorrentadas no porão* em letras menores. A matéria ocupava metade da capa e mais uma página interna quase inteira. O jornal publicou também diversos textos relacionados ao caso.

Quando foi descoberto que Heidnik era um autoproclamado bispo em igreja fundada por ele próprio e que dirigia automóveis caros, os redatores das manchetes começaram a competir.

Em 26 de março, a manchete principal do *New York Post* dizia ORGIA SEXUAL DE MANÍACO COM MULHERES ACORRENTADAS, e logo abaixo do cabeçalho *Partes de corpo achadas em casa do horror na Filadélfia.* Uma história relacionada chamava Heidnik de "O reverendo do Rolls-Royce" e afirmava que ele se interessava por "ações e sadomasoquismo".

Outro tabloide de Nova York, o *Daily News*, noticiava escandalosamente, *Escravidão sexual e mutilação na Filadélfia* e, em caixa alta, JOVENS ACORRENTADAS EM CÂMARA DOS HORRORES.

No mesmo dia, o *USA Today* dizia, CASA DA MORTE NA FILADÉLFIA... *Três mulheres acorrentadas; encontrados pedaços de corpo.*

Até mesmo o ultraconservador *New York Times* entrou na onda, embora depois dos outros. Em 27 de março, um dia depois da maioria, o *Times* reservou um quarto de página para matéria intitulada PROMOTOR PEDE PENA DE MORTE EM CASO DE TORTURA. O texto incluía fotos de Heidnik, Tony Brown e da casa na rua Marshall.

O *Times* publicou uma segunda matéria, no dia seguinte, com a chamada O ESTRANHO RETRATO DE UM SUSPEITO ATORMENTADO.

Incontáveis histórias foram transmitidas via rádio e televisão. Os fatos eram enviados mundo afora por serviços jornalísticos. O homem que mais tarde atuaria como advogado de Heidnik recebeu um recorte de jornal de um amigo da Austrália.

A cobertura na Filadélfia foi, é claro, volumosa, com o *Daily News* e o *Inquirer* (ambos de propriedade da Knight-Ridder[1]) devotando forças-
-tarefa com repórteres e um bocado de tinta à impressão do incidente.

A intensidade e o escopo da cobertura da mídia se revelariam um problema na escolha do júri para julgar o caso. O advogado de Heidnik não teve qualquer dificuldade em encontrar um bocado de provas de que *o mundo todo* sabia dos crimes de seu cliente.

---

1   [NT] Conglomerado de mídia, hoje extinto, que chegou a ser o segundo maior em publicação de jornais nos Estados Unidos.

23

INVENTÁRIO

25.03.1987 – 02.04.1987

Quando a polícia prendeu Heidnik e libertou Thomas, Askins e Adams, o trabalho estava apenas começando. Levou dias para investigarem as pilhas de papel e os montes de provas físicas necessários para produzir um relatório completo. Quaisquer que fossem as acusações contra Heidnik, os investigadores gostariam muito de poder incluir "desorganização" e "desleixo". Até mesmo o inventário de itens encontrados quando foi preso por Savidge e Cannon foi suficiente para gerar confusão.

Em seus bolsos estavam, entre outras coisas, 1.962 dólares em notas de um, cinco, dez, vinte, cinquenta e cem dólares, além de um dólar de prata e uma moeda de cinquenta centavos. Também acharam um cartão bancário, um cartão de crédito Sears, um cartão telefônico, o cartão de identificação da Administração dos Veteranos, a carteira de motorista, o cartão de identidade de sua igreja, onde aparecia com colarinho clerical, e o cartão de enfermeiro do hospital em Coatesville. Carregava uma calculadora de bolso, uma caneta Cross de ouro, um canivete e uma chave para algema. Entre os documentos estavam os relativos a um Dodge 1972, um Plymouth 1962, um Cadillac 1971 e um trailer Serro Scotty 1973. Alguns estavam em nome da igreja; e outros, no seu. Havia várias notas fiscais de multas de trânsito e uma notificação do cancelamento da carteira de motorista, além de notas fiscais de diversas lojas e um extrato do Merrill Lynch mostrando o saldo da conta em 31 de outubro do ano anterior: 577.382,52 dólares.

Porém, isso não era nada comparado à lista que a polícia fez com itens encontrados na casa dele. Foram necessários onze dias para a catalogação. No entanto, era *completa*.

O inventário da rua Marshall formava uma pilha respeitável de folhas de papel batidas à máquina, listando quase tudo que era digno de nota, uma coleção de itens que iam desde roupas ensanguentadas e correntes até sacolas com ossos e a panela de alumínio com "crosta marrom próxima à borda". Nota de rodapé: "A análise não conseguiu determinar a origem do material marrom".

Os investigadores encontraram diversas serras, incluindo uma serra tico-tico, que não tinha nenhum traço de sangue, e uma serra de arco com vestígios de tinta, que foram também encontrados nos membros decepados de Lindsay. Havia pilhas de algodão usado, jarros de maionese com o que "pareciam ser cebolas" e um "pedaço redondo de queijo mofado". Diversas chaves de fenda foram encontradas com uma caixa de biscoito barato para cachorro e — jogada num canto — "uma camisinha usada, suja e mofada".

A polícia passou dias revirando o quintal de Heidnik, procurando mais corpos. Não encontraram, mas a busca não foi inteiramente sem risos.

Com as ruas estranhamente repletas de pessoas que os incentivavam, os policiais escavaram tantos buracos no pequeno quintal que parecia uma zona de guerra. Um dos envolvidos na escavação ergueu o que parecia muito ser um braço humano. No fim, era um galho de árvore. Logo depois, membros da equipe encontram um volume que acharam se tratar dos restos de um corpo. Um legista logo foi convocado. Após o exame, disse se tratar apenas de um monte de dejetos aglomerados. Após dias cavando, tudo que os investigadores encontraram, fora alguns ossos imediatamente identificados como de Sandra Lindsay, foi o esqueleto de um gato.

Toda essa investigação e escavação não era sem motivo. Quando as sequestradas prestaram depoimentos à polícia, disseram que Heidnik tinha se gabado de matar seis mulheres, cujos nomes ele mencionou:

Sandy, Debbie, Sallie, Jody, Marcie e Carol. Dois fatos apontavam para essa afirmação. À época, fazia anos que ninguém via as duas ex-companheiras dele, Dorothy e Anjeanette Davidson. Tony Brown, o ex-companheiro de casa de Heidnik, deu depoimento ainda mais incriminador.

No dia em que Heidnik foi preso, Brown, à época com 31 anos, foi até a rua Marshall conferir a confusão. Quando um policial lhe disse que um sujeito chamado Gary Heidnik tinha sido preso por matar e torturar mulheres, Brown confessou que era o melhor amigo de Heidnik e que tinha morado na casa. Isso fez com que fosse levado à delegacia de polícia para prestar esclarecimentos. Dezoito horas depois, de acordo com o advogado de Heidnik, Brown foi indiciado como cúmplice. O depoimento foi vazado para o *Inquirer*, e nele Brown exagerou ainda mais os crimes de Heidnik.

Relatou que tinha estado com Heidnik durante o verão de 1985, quando Heidnik pegou uma prostituta na esquina da Broad com a Poplar, oferecendo 100 dólares por um programa. Segundo Brown, ele voltou de carro para casa e foi dormir, deixando Heidnik a sós com a mulher, cujo nome não sabia.

Na manhã seguinte, desceu até o porão para colocar roupa na máquina de lavar. A mulher estava lá, acorrentada. Ele contou que a mulher pediu para ser solta. Todavia, recusou, pois temia a reação de Heidnik.

Brown disse que, aproximadamente uma semana depois, quando retornava das compras, sentiu um cheiro horrível. Por isso, desceu até o porão, onde viu Heidnik cortando o corpo da mulher. Mais tarde, viu Heidnik enterrando partes do corpo no quintal da frente.

Brown também contou à polícia que estava no porão quando a namorada dele, Sandra Lindsay, morreu. A história que contou foi similar à das vítimas. Disse que viu Heidnik tentando enfiar pedaços de pão na boca de Lindsay, que estava se engasgando, mas ele continuou forçando. E por isso ela morreu.

Ele e Heidnik carregaram o corpo dela para o andar de cima. "Percebi que ela não respirava", relatou. "Sabia que estava morta." Disse também ter presenciado Heidnik fazendo sexo com o cadáver. Por fim, alegou que foi embora quando Heidnik começou a cortar o corpo.

Havia apenas um problema com a história: nenhuma vítima tinha visto Brown nesses lugares, muito menos no porão no dia em que Lindsay morreu. Havia também outro pequeno problema: o QI de Brown era de apenas 75, pouco acima do mínimo para o diagnóstico de deficiência mental. De todo modo, era o suficiente para que pudesse depor.

Apesar dessas questões, Brown foi acusado do assassinato de Sandra Lindsay, assim como formação de quadrilha, sequestro e estupro. Ele foi mandado para a prisão, e sua fiança foi fixada em 50 mil dólares.

Um mês depois, em primeiro de maio, Brown assinou sua soltura. A promotoria pediu que o soltassem, argumentando que ele poderia ajudar mais na investigação de Heidnik se estivesse solto. Duas semanas após o julgamento de Heidnik, as acusações foram arquivadas sem estardalhaço. Brown estava livre.

Contudo, não havia qualquer chance de soltarem Heidnik da prisão, nem em 1 milhão de anos, em circunstância alguma, salvo intervenção divina. Estava na prisão para ficar, e tanto ele quanto o sistema prisional teriam de se adequar a essa convivência forçada. Não seria nada fácil para nenhum dos dois.

Em 25 de março, poucas horas depois de ser preso, Heidnik foi atacado por outro detento. Quebraram seu nariz. Após esse incidente, ele foi colocado na ala especial do Centro de Detenção da Filadélfia e só podia sair da cela duas horas por dia. E, mesmo assim, apenas quando os outros detentos estivessem trancados.

Apesar das precauções, em poucos dias, ele conseguiu ficar sozinho tempo o suficiente para tentar se matar. Em 2 de abril, seu nono dia na cadeia, ele foi para os chuveiros. Enquanto o guarda estava ocupado tentando regular a temperatura da água para Heidnik, ele amarrou uma ponta da camiseta no chuveiro e a outra em volta do pescoço e flexionou os joelhos. Quando o guarda olhou de novo, chamou ajuda. Heidnik já estava inconsciente, mas conseguiram soltá-lo a tempo.

Observadores experientes ficaram desapontados. Era apenas questão de tempo até que o episódio se repetisse uma ou mais vezes. Ou ele tentaria se matar, ou outra pessoa o mataria. Além disso, o promotor Ronald Castille afirmou que trabalharia pela pena de morte. No momento, essa parecia ser a menor das preocupações de Heidnik.

"Diz pra mim, Gary, que tipo de tempero você usou?"
— A. Charles Peruto Jr, advogado de defesa.

"Cara, você é louco."
— Gary Heidnik, encarando Peruto.

24

ACUSAÇÃO

Nov.1986 – Mar.1987

Gary Heidnik levava uma vida estranha, sem dúvida. Apesar disso, a preocupação com as mulheres no porão não tomava todo seu tempo. Naquele período de quatro meses, ele fez diversas coisas que não são consideradas explicitamente anormais. Por exemplo:

No começo de novembro, foi até uma das maiores revendas de Cadillac na cidade para comprar um carro novo. Seu carro anterior tinha sido danificado em um acidente. Já não tinha a mesma classe. Ele sabia exatamente o que queria: um DeVille com todos os opcionais. "Ele queria luxo", disse o gerente David Pliner em depoimento posterior. "Queria tudo que se pode colocar num carro: teto especial, kit continental, grade adaptada, rodas esportivas, os melhores pneus — tudo." Ele incluiu seu outro Cadillac na troca e pagou a diferença à vista, um cheque de 12.240 dólares do banco de investimentos Merrill Lynch.

Apresentando-se como bispo da Igreja Unida dos Ministros de Deus, Heidnik fez amizade com o vendedor. Quando levava o carro para reparos, ele e Pliner conversavam sobre o mercado de ações. Pliner lhe deu uma dica que deve ter se provado lucrativa, pois Heidnik ligou um mês depois para agradecer.

Em dezembro, retornou à clínica psiquiátrica da Administração dos Veteranos da Filadélfia, após intervalo de dez meses no tratamento. Foi recebido calorosamente por alguns dos pacientes veteranos, e pareceu tocado pela resposta a seu retorno. "Ei", disse ao dr. Richard W. Hole, "eles ficaram contentes em me ver." Heidnik voltou a fazer terapia de grupo com regularidade, até que foi preso. A cada vez que ia embora, levava consigo o suprimento de Clorpromazina que deveria tomar. Ao que parece, nunca tomou, dada a quantidade considerável do remédio encontrada em seu quarto na rua Marshall pela polícia.

Em janeiro, houve a audiência diante do juiz Levin na Vara de Família. Embora o juiz não soubesse ao certo o quanto Heidnik entendia o processo, não o considerava demente a ponto de ser motivo de preocupação. Sua esposa Betty, pelo visto, não achava que ele estivesse agindo de maneira anormal. Ou, ao menos, não mencionou ao juiz.

Além disso, ao longo desse período, ele continuou levando mulheres para transar em sua casa. Uma delas era namorada de longa data, com quem costumava se encontrar uma vez por semana. Outra era Agnes Adams, que só foi capturada em sua segunda ida ao número 3.520. Por que a capturou na segunda oportunidade, e não na primeira? Apenas Heidnik sabia e até então não havia oferecido nenhuma pista a respeito. A polícia suspeitava que houvesse várias outras prostitutas e talvez alguma amiga do Instituto Elwyn.

Todavia, os incidentes com as demais mulheres são esclarecedores nesse aspecto. Demonstram que Heidnik tinha algum tipo de processo de seleção. Não pegava mulheres aleatoriamente na rua, as levava para casa e acorrentava. Contudo, os critérios que utilizou seguiam um mistério. Ninguém além dele sabia o porquê de escolher algumas e rejeitar outras.

Esses lampejos da pessoa "pública" de Heidnik são fascinantes, no entanto, não necessariamente reveladores. Na verdade, tornam tudo mais complicado. O advogado dele passou horas pensando nisso. Se o júri colocasse em questão o processo mental de Heidnik, como esses aparentes surtos de sanidade poderiam ser explicados? Era uma doença mental que podia ser ativada e desativada? Era algo que aparecia só às vezes, sendo invisível em outras? Se alguém é louco, essa pessoa tem que agir assim o *tempo todo*? Gary Heidnik era doido ou não? Se praticava atos típicos de um maluco, por que, em alguns momentos, se comportava de modo compreensível? E, se não era, o que explicava as coisas absolutamente atrozes e revoltantes que fazia? Os advogados chamaram de "o limite entre o mau e o louco", uma linha tênue e opaca entre a insanidade e a mera crueldade.

Insanidade seria uma das duas principais estratégias no caso de Heidnik. Livrar-se das acusações e ser considerado inocente nunca foi uma possibilidade real. Três mulheres foram encontradas no porão, por denúncia de uma quarta. Todas identificaram Heidnik, além de qualquer dúvida razoável, como quem as manteve em cativeiro. O freezer dele estava cheio de partes de corpo. Ossos humanos foram encontrados no quintal. Uma das ex-reféns levou os investigadores até o segundo cadáver, sem qualquer hesitação. Havia provas demais contra ele; não dava para dizer que era "o cara errado".

O outro argumento era que ele não agiu com intenção de matar Deborah Dudley. Embora o promotor Ronald Castille estivesse resoluto em buscar a pena de morte, só poderia pedir a pena capital, de acordo com as leis da Pensilvânia, após uma sentença condenatória por homicídio doloso. Condenação por qualquer outro crime renderia, no máximo, prisão perpétua. Castille estava ansioso pelo embate.

Homem da lei bastante articulado, Castille foi comandante de batalhão no Vietnã, onde perdeu uma perna em um campo de batalha empoeirado, na região conhecida como I Corps. Sua reputação era a de ser bom de briga. Prova disso era o mero fato de ocupar o posto que ocupava — republicano branco em uma cidade dominada por democratas negros. Ele tinha derrotado um oponente negro na eleição[1] fazia poucos meses, e essa era uma boa oportunidade para pôr em prática a justiça severa que prometeu.

---

1   [Nota da Edição, NE daqui em diante] O cargo de Promotor de Justiça é eletivo nos Estados Unidos.

Como todas as grandes cidades dos Estados Unidos, a Filadélfia tem uma alta taxa de crimes violentos. Existe, em média, um assassinato por dia na cidade. Em quase 80% desses casos, alguma prisão acontece, de modo que, todo ano, mais de trezentos casos são registrados na promotoria. Nem todos vão a julgamento, é claro. E nem todos enfrentam um processo com o promotor demandando a pena de morte. Normalmente, há de doze a quinze casos de punição capital ao ano. A equipe de Castille tinha um índice de sucesso de 66%. Casos dignos de pena de morte estavam longe de ser raros, mas também não era corriqueiro.

Durante algum tempo, Castille flertou com a ideia de que ele próprio deveria representar a acusação. No fim, quando viu que as provas contra Heidnik eram muito fortes, decidiu não fazer. Sabia que, no fim das contas, seria, essencialmente, uma batalha entre psiquiatras: os do Estado contra os da defesa. Esse não era o tipo de caso para ele. Porém, parecia ser o caso perfeito para um de seus melhores assistentes, o dedicado Charlie Gallagher.

Gallagher, curiosamente, já estudava o caso bem antes de Castille, na verdade antes de qualquer pessoa da promotoria. Ele estava em casa deitado, dormindo, quando o telefone tocou, pouco após a meia-noite, em 26 de março de 1987. Como líder da divisão de homicídios, Gallagher, à época com 40 anos, estava acostumado a receber ligações na madrugada. Era de praxe que o líder ou seu assistente fosse notificado quando uma acusação de assassinato estava sendo elaborada, não importa a hora que fosse. E Gallagher tinha aprendido que assassinatos raramente respeitavam o horário de trabalho do funcionário público. Quando atendeu ao telefone, sonolento, suspeitou que fosse problema. E era. O tenente James Hansen estava na linha com notícias nada animadoras.

Enquanto Gallagher domava os bocejos, Hansen sucintamente explicou os elementos básicos da acusação contra Gary Heidnik. Informou que queria um mandado de busca para a casa de Heidnik. Precisava disso imediatamente.

"Acho que pode ser arranjado", Gallagher disse. Após agilizar o mandado, o promotor-assistente voltou para cama. Precisava acordar bem cedo, pois iria ao enterro de um juiz bastante popular na manhã seguinte.

Assim que conseguiu se livrar da formalidade, Gallagher correu para o escritório e ligou para Hansen a fim de se atualizar sobre o caso. Era por volta das 10h. O detetive da Homicídios disse que tudo estava se desenrolando sem problemas, que conseguiram confirmar tudo que foi relatado pela testemunha — Josefina Rivera. No momento em que conversavam, ela conduzia outro detetive numa busca no Parque Estadual Wharton, do outro lado do rio Delaware, em New Jersey, tentando achar o local onde Heidnik desovara o segundo corpo.

Enquanto Hansen descrevia alguns detalhes, Gallagher sentiu o estômago se contrair. Para fazer todas essas coisas, pensou Gallagher, esse tal Heidnik deveria ser mais do que louco. Precisava ser maligno.

Esse tipo de pensamento ocupava boa parte da mente religiosa de Gallagher. Ele cresceu em um lar estritamente católico. Uma de suas irmãs era freira. Ele próprio se descrevia como pessoa de "profunda" fé. Além da percepção influenciada pela religião, havia o fato de que sua infância não fora de privilégios. Seu pai havia sido policial por 31 anos.

Quando mais fatos surgiram, e a acusação contra Heidnik começou a ganhar força, Gallagher decidiu que queria participar do caso. Se havia um caso que clamava pela pena de morte, era esse. A posição da Igreja Católica pode ser diferente, mas Gallagher também era promotor, e, nesse caso, seu dever com o público vinha antes. Sem qualquer hesitação, foi até Castille e pediu permissão para formalizar a acusação de homicídio doloso.

"A pena de morte talvez não detenha os índices de crimes", Gallagher disse, "mas, com certeza, vai deter Gary Heidnik."

25

DEFESA

Mar.1987

Quando a história de Heidnik foi a público, A. Charles Peruto Jr. estava julgando um caso de assassinato em Lancaster, no oeste da Filadélfia, em território da religião Amish. Nos intervalos do caso, ele frequentemente ligava para o escritório na Filadélfia, onde o colocavam em contato com John Fognano, primo de Peruto e também membro da pequena firma de advocacia. Fognano estava bastante empolgado: "Você não faz ideia de quem quer falar com você", disse com empolgação. Antes de Peruto adivinhar, Fognano revelou: "Gary Heidnik".

"Quem?", disse Peruto, achando que tinha ouvido errado.

"Gary Heidnik", Fognano repetiu. "Quer contratar você. Ele quer que você o defenda."

"É uma pegadinha?", Peruto perguntou, surpreso. "Como ele me descobriu?"

Quando Peruto contou a história, estava sendo atipicamente modesto. Ele era conhecido por toda a Filadélfia e também na zona sul de New Jersey por dois motivos: era um advogado de defesa irreverente e famoso, que *adorava* casos sensacionais. Estava com 32 anos e era filho de um dos mais eloquentes e respeitados advogados da cidade, A. Charles Peruto Sr. O pai era chamado de Chuck; e o filho, de Chuck Jr. Chuck tinha a reputação de ser esperto, ligeiro e bom com frases de impacto, um advogado de primeira. Chuck Jr. era muito parecido, e mesmo sendo um advogado de primeira, invariavelmente era comparado ao pai.

Peruto — ou Chuck Jr, ele detestava ser chamado de "Chuckie" — tinha lido o suficiente nos jornais nos dias anteriores para entender que representar Gary Heidnik seria brincar com fogo. O rumor entre advogados era que o pai dele havia recomendado que recusasse o caso. No entanto, Chuck Jr. estava curioso.

"Ele disse que conseguiu seu número com o cara da cela ao lado", Fognano explicou, revelando o nome a Peruto.

"Mas é claro", Peruto pensou, "tão simples." Algumas semanas antes, ele defendeu outro réu da acusação de assassinato, e conseguiu um veredicto de inocente, por motivo de insanidade. Aquilo explicava como, mas não o porquê. De todo modo, mesmo que Gary Heidnik o quisesse, não sabia se Peruto realmente se interessava pelo caso de Gary Heidnik. Não tinha certeza mesmo.

"Vai falar com ele", disse Peruto a Fognano, após pensar a respeito. "Veja se foi mesmo ele quem ligou e se parece sério. Se tudo der certo, eu falo com ele assim que voltar para a Filadélfia." Tinha sido fisgado, ainda que não quisesse admitir.

Dois dias depois, Peruto se encontrou com Heidnik no setor de visitas, área cercada por um bloco de celas, no Centro de Detenção da Filadélfia. Quando entrou, Heidnik o esperava vestindo o uniforme laranja da prisão. Quando viu Peruto, Heidnik ficou de pé e bateu continência. "Imagino que seja o sr. Peruto", disse.

"Puta merda", pensou Peruto, olhando nos olhos gélidos de Gary Heidnik.

"Foi esquisito", Peruto relembrou mais tarde. "Lá estávamos, sentados no meio de todas aquelas celas, enquanto outros caras ficavam me chamando, 'Ei, Chuck, vem falar comigo quando terminar aí'. Aparentemente, isso impressionou Heidnik. Após uns minutos, calmamente, ele me disse: 'Caramba, você é bem popular por aqui'."

A entrevista durou mais de duas horas. Sentado na mesa parafusada ao chão bem no meio da sala, Heidnik contou ao advogado de modo sereno e direto a história de sua prisão e os eventos que levaram a ela.

Peruto não conseguia acreditar no que estava ouvindo; era grotesco demais. Enquanto Heidnik falava, Peruto ficava cada vez mais enojado. Era provavelmente a pior história que alguém lhe contava. Por fim, quando Heidnik começou a contar como cozinhou o corpo de Lindsay, Peruto não aguentou mais. Ele reagiu do modo que lhe era natural: deixando seu lado espertinho assumir o controle.

"Aquilo mexeu comigo mesmo", Peruto disse. "Não aguentei. Tinha que fazer uma pergunta."

Inclinando-se para a frente, Peruto sussurrou de modo discreto: "Diz pra mim, Gary, que tipo de tempero você usou?".

Houve um longo silêncio. "Ele ficou só me olhando", disse Peruto. "E aí respondeu, muito claramente: 'Cara, você é louco'. O jeito que ele disse aquilo fez o cabelo na minha nuca se arrepiar. Pensei: 'Ah, Chuck, dessa vez você conseguiu mesmo. Essa vai ser uma experiência e tanto'."

Um advogado que ganha a vida defendendo criminosos nem sempre pode ser exigente quanto a clientes. Ele percebe que automaticamente terá de lidar com um volume imenso de escória, por mais que tente selecionar. Indicações — e também menções nos jornais — são o que mantém um advogado de defesa trabalhando. Dada a natureza da profissão, a rede de fofocas das prisões pode ser o tipo de publicidade mais eficaz. Nem sempre se pode lidar com a nata, mas, por outro lado, o percentual dessa "nata" indiciado por crimes sangrentos é relativamente baixo.

Advogados de defesa, ao menos aqueles que trabalham nisso todos os dias, pegam um monte de clientes ao lado de quem a maioria não se sentaria em um ônibus. Porém, há limites, e Peruto se perguntava se Heidnik não excedia esses parâmetros. A defensa de Heidnik, certamente, colocaria seu nome nos jornais, contudo, não estava certo de que precisava de tanta publicidade assim. Os crimes pelos quais Heidnik respondia eram simplesmente repulsivos. Só de falar, as pessoas ficavam enjoadas. No entanto, advogados de defesa, nesse sentido, não são pessoas comuns. Onde outros veem perversidade, um bom advogado de defesa vê desafio. Onde outros enxergam violência sem sentido, advogados de defesa imaginam motivações. O que levou o acusado a cometer o ato violento é mais importante no tribunal do que a própria violência. Sempre há uma razão, mesmo que não esteja evidente; ainda que o motivo seja insanidade. A tarefa do advogado de defesa é fazer o júri enxergar as circunstâncias atenuantes e entender que seu cliente tinha um motivo para praticar aquele ato.

Se o júri consegue ver lógica por trás do comportamento, ainda que uma lógica perturbada, torna-se compreensível. Quando outros enxergam desesperança, o advogado de defesa vê esperança. Ele também enxerga cifrões e manchetes. Mas há limites. Nenhum advogado de defesa constrói sua reputação defendendo apenas fracassados. Ninguém correrá para contratá-lo caso seus três últimos casos tenham recebido uma passagem só de ida para Graterford, a principal penitenciária da Pensilvânia. Aparentemente, o caso de Heidnik parecia perdido. Se havia um fracassado nato, era Heidnik. Se havia uma série de crimes repulsivos, tinha sido essa. Se havia um caso em que a polícia pegou o criminoso com a boca na botija, foi o do Heidnik. Àquela altura, fosse Peruto ou qualquer outro, ninguém poderia dizer que Heidnik teria a mais remota chance de escapar da pena de morte.

Por um lado, Peruto estava intrigado; por outro, enojado. "Há jeitos mais fáceis de ganhar dinheiro", pensou. "De todo modo..."

A melhor maneira de resolver isso, ele decidiu, para evitar o surgimento de um problema moral e profissional, era deixar a questão econômica vir em primeiro lugar. Peruto imaginou que poderia pedir um valor assombroso, tão alto que faria Heidnik imediatamente desistir.

"Eu defendo você", Peruto disse, "mas vai custar 100 mil dólares."

"Ok", Heidnik respondeu sem qualquer hesitação.

"Jesus", Peruto disse para si mesmo.

"Senti vontade de dizer", admitiu mais tarde em entrevista, "'Gary, não sou um advogado de 100 mil dólares. Normalmente, cobro uma taxa fixa de 10 mil por um homicídio'."

Mas é claro que esse não era um homicídio comum.

26

PROVAS

23.04.1987

Em pouco tempo, Chuck Peruto percebeu que o caso não era nada comum. Na penúltima quinta-feira de abril, houve a primeira aparição significativa com seu cliente. Foi uma experiência traumática.

Era a audiência preliminar, procedimento obrigatório para determinar formalmente se existe causa provável para manter o réu preso até o julgamento. No caso de Heidnik, seria desnecessário, mas a lei exigia que fosse feito. Para consternação de Peruto e alegria de Gallagher, funcionou como uma apresentação da promotoria, a chance de o Estado se gabar da robustez das provas contra Gary Heidnik. Do começo ao fim, foi um evento estritamente acusatório.

As acusações formais contra o cliente de Peruto foram de assassinato, sequestro, estupro, agressão, atentado ao pudor, atentado violento ao pudor, cárcere privado, favorecimento de prostituição, crime de ameaça, crime de risco à vida e vilipêndio de cadáver. A última acusação foi, depois, descrita como o crime em que Heidnik "ilegalmente tratou um cadáver de maneira que sabia que causaria ultraje a qualquer família normal".

Aguardando na sala 675 da prefeitura, estavam sete testemunhas: as quatro ex-prisioneiras, a irmã de uma das vítimas assassinadas e dois legistas a serviço do município. Estavam também o juiz Charles Margiotti Jr; o promotor assistente Charles Gallagher; Peruto e, é claro, Gary Heidnik.

Com o consentimento do juiz Margiotti, a audiência começou.

Lisa Thomas foi a terceira mulher a ser incluída no harém de Heidnik, mas a primeira a testemunhar. Com voz calma, disse aos presentes como tinha sido apanhada, como Heidnik a atraiu com comida e presentes, e como, depois de transarem, foi capturada. O silêncio era completo enquanto ela explicava como Heidnik reforçava sua dominação, forçando-a a realizar sexo oral nele na frente das outras mulheres.

A história de Thomas foi curta e nada emotiva; precisa, mas distante; uma prévia perfeita para Josefina Rivera.

Se Thomas tinha impressionado a todos, Rivera foi espetacular. Em tom de voz neutro e distante, que conferiu à narrativa ainda mais impacto, Rivera bombardeou os presentes com uma história tão horrível, tão detalhada, que até mesmo os veteranos dos tribunais se sentiram tocados.

No começo, a história dela era similar à de Thomas, com a única diferença de ter sido a primeira a ser capturada. Ela disse que também tinha sido vendada, capturada à força e tratada de modo horrendo. Porém, ao chegar na parte em que Lindsay morreu, a história tomou rumo próprio. A verdade, de fato, se provou mais estranha que a ficção.

Quando Lindsay desmaiou pela segunda vez e Heidnik desceu as escadas, Rivera relatou que conseguia sentir a fúria dele. "Heidnik ergueu o pulso esquerdo dela e aí soltou." Não houve reação. Ele tirou a algema e a deixou cair no entulho. "Aí ele chutou ela pro buraco e checou o pulso dela. Quando viu que não tinha pulso, disse que ela tinha se engasgado com um pedaço de pão."

Cinco semanas depois da morte de Sandra Lindsay, Rivera falou que foi a vez de Deborah Dudley. Em 18 de março, Heidnik resolveu punir Thomas, Dudley e Jacquelyn Askins com choques elétricos.

Heidnik comandava as mulheres com punho forte, afirmou, e esperava que lhe obedecessem. Quando ele pediu ajuda para punir as outras três, ela nem sequer cogitou dizer não.

Enquanto Heidnik assistia e dava risada, Rivera levou a mangueira de jardim até o buraco onde as prisioneiras estavam e o encheu de água. Thomas, Dudley e Askins já estavam no fosso. Quando o buraco ficou cheio, Heidnik plugou a extensão elétrica na tomada do outro lado da sala. Ao seu comando, Rivera encostou o fio na corrente de Dudley. As três gritaram e, depois, ficaram em silêncio. Heidnik achou que a extensão tinha queimado, por isso correu para buscar outra no andar de cima. Askins gritou que Dudley estava morta.

"Não tem nada errado com a Debbie", disse Heidnik. No entanto, quando olhou dentro do fosso, ele viu Dudley inerte, com a cara na água.

Rivera narrou que Heidnik a forçou a escrever uma confissão da morte de Dudley. Segundo ela, nas palavras dele, "'assim você também é culpada'".

O depoimento de Rivera de que ela segurou o fio elétrico quando Dudley morreu não passou despercebido por Peruto. Quando chegou sua vez de interrogar, perguntou a Thomas da participação de Rivera, não apenas na eletrocussão de Dudley, mas em outras sessões de tortura no porão.

Rivera com frequência batia nas outras prisioneiras, Thomas admitiu, estando Heidnik lá ou não. "Ela gostava, ela mandava no porão", Thomas disse. "Batia na bunda e nas pernas da gente, sempre rindo."

De acordo com Thomas, foi também Rivera que deu a Heidnik a ideia dos choques elétricos.

As afirmações de Thomas, no entanto, contradiziam as de Askins, de que Rivera batia nelas somente quando Heidnik mandava.

Mas Askins confirmou que Rivera tinha sido a dedo-duro. A certa altura, todas concordaram em tentar subjugar Heidnik e fugir. Contudo, antes que executassem o plano, Rivera avisou Heidnik. Como resultado, todas, exceto Rivera, foram severamente punidas. Já Rivera foi recompensada. "Ela saía com Gary e, depois contavam pra gente como tinha sido divertido. Eles davam risada", Askins disse.

Quando questionadas de o que possivelmente teria motivado Heidnik a fazer o que fez, todas as vítimas concordaram: ele estava determinado a engravidar todas e a criar as crianças no porão.

"Ele queria dez garotas e todos os filhos que conseguisse ter antes de morrer", Askins falou.

"Ele queria que eu ficasse grávida, queria um monte de criança correndo pelo porão", confirmou Thomas.

Por ser a última capturada, Agnes Adams ficou no porão apenas uma noite, de modo que não tinha nada substancial a acrescentar ao depoimento das outras.

Mas o dia foi devastador, uma experiência emocionalmente desgastante. Quando os legistas foram para tribuna, a aparição deles foi quase anticlimática.

O depoimento do dr. Robert L. Catherman foi excessivamente curto. De forma sucinta, confirmou que Dudley tinha morrido por eletrocussão. Já seu colega, o dr. Paul Hoyer, deu mais detalhes. Hoyer foi quem tinha examinado as partes do corpo do freezer de Heidnik.

Gallagher conduziu Hoyer de modo a reconstituir todos os passos da descoberta, começando pela chegada à casa da rua Marshall.

"Você observou algo peculiar na cozinha?", Gallagher perguntou.

"Sim", respondeu Hoyer.

"E o que foi, doutor?"

"Dois itens. Primeiro, uma geladeira branca na cozinha. E, no freezer da geladeira, tinha diversos... pacotes brancos embalados, como você enrolaria um pedaço de carne para congelar, envolto num saco plástico. Um deles já tinha sido aberto. Olhei dentro do saco e vi dois antebraços humanos."

"E havia outros itens na geladeira?", Gallagher perguntou.

"Sim. Havia outros pacotes na geladeira, que depois foram levados a nosso departamento para exame."

Gallagher e Hoyer interromperam um ao outro, tentando falar ao mesmo tempo. Porém, foi Hoyer quem continuou.

"...em resumo, havia dois antebraços, a parte superior de um braço, dois joelhos e duas coxas. Cada uma dessas partes tinha... a extremidade do osso parecia que tinha sido cortada com serra. A pele e os músculos, todo o tecido macio continuava no osso". Segundo exames realizados nos pacotes, eram dez quilos no total.

Gallagher queria saber se Hoyer tinha examinado o forno. "Claro", respondeu. "Havia coisas no forno cozidas por muitas e muitas horas."

A sala ficou elétrica. Se esse não era o crime mais sangrento da história recente da Filadélfia, ao menos, ninguém se lembrava de outro. Se o objetivo de Gallagher era colocar a opinião pública contra Heidnik, sem dúvida, ele teve sucesso.

No entanto, havia um problema que se tornou evidente apenas mais tarde: que a apresentação de Gallagher talvez tivesse sido detalhada *demais*. Tudo que o Estado precisava fazer era apresentar provas suficientes para Heidnik ir a julgamento, mas Gallagher fez muito mais do que isso. Alguns observadores jurídicos mais atentos reclamaram que Gallagher expôs de forma exagerada sua estratégia. Isso forneceu à defesa uma boa noção das provas que a acusação possuía e, além disso, atrelou as quatro testemunhas a seus depoimentos. Elas poderiam elaborar mais os testemunhos, no entanto, se divergissem do que falaram, seriam questionadas.

"Josefina Rivera teria sido o suficiente", disse um advogado atento ao caso.

27
FALÊNCIA
06.04.1987 – 19.05.1987

Embora o foco tivesse ficado quase todo nas acusações contra Heidnik, um drama diferente se desenrolava nas Varas Cíveis da cidade. Algo que, por fim, se tornaria um problema no caso criminal também.

Assim que as vítimas ficaram sabendo quanto dinheiro Heidnik tinha no banco, elas iniciaram processos contra seu ex-sequestrador em busca do meio milhão de dólares que ele teria escondido na conta do Merrill Lynch. Mas Heidnik alegava que o dinheiro não pertencia a ele, mas, sim, à sua igreja, a Igreja Unida dos Ministros de Deus.

Nem todos concordavam com a distinção. Alguns alegaram que a igreja era fachada, que Heidnik *era* a igreja, e o dinheiro, na verdade, era dele. Antes de qualquer decisão, tinha de ser determinado se a jurisdição seria estadual ou federal. *Essa* seria a primeira grande batalha para determinar a legitimidade da igreja de Heidnik e a distribuição de seus fundos.

Em 6 de abril, quatro dias após Heidnik tentar se enforcar, os advogados de Lisa Thomas encaminharam uma petição na divisão civil da primeira instância, pedindo que os bens da igreja fossem congelados e um responsável nomeado. O juiz Samuel M. Lehrer imediatamente acatou a primeira parte do pedido. Todavia, aguardou duas semanas, até 20 de abril, para nomear o responsável.

Uma hora e quarenta e cinco minutos antes de Lehrer anunciar o escolhido, Heidnik encaminhou a declaração de falência ao tribunal federal. O documento listava três das sobreviventes, além das famílias das duas vítimas assassinadas, como credores. Em suma, o documento observava, todos buscavam indenizações que somavam milhões de dólares. Curiosamente, outro credor era a cidade da Filadélfia, que pedia 6.800 dólares em pensão alimentícia atrasada.

O pedido de falência foi importante na preparação do terreno para a batalha quanto à jurisdição. O juiz Lehrer, de primeira instância, não estava disposto a desistir. Em uma nova decisão, em 27 de abril, ordenou que o responsável recém-nomeado assumisse controle dos bens da igreja, incluindo o meio milhão na conta do Merrill Lynch, além da conta bancária local contendo 16 mil dólares, o Cadillac avaliado em 34 mil dólares e o Rolls-Royce 1971.

Ele também usou a acusação para lançar um pesado ataque contra a organização, classificando-a como um "golpe", uma igreja que existia "apenas no nome". Irritado, Lehrer deixou claro que entendia a igreja como farsa, algo criado por Heidnik exclusivamente para não pagar impostos. "A igreja tem liturgia?", perguntou. "Cronograma de cultos aos sábados ou aos domingos? Lista de membros? Boletim? Um hinário?" Essas eram todas perguntas retóricas; ele nunca esperou as respostas. Sua indignação era uma carreta desgovernada.

"Acredito que seja de interesse público que uma entidade assim seja revelada como aquilo que realmente é", Lehrer prosseguiu. "A mera ideia da existência dessa igreja é uma ofensa e um insulto a todas as pessoas desta comunidade. Além disso, é também uma ofensa e um insulto contra os sentimentos das vítimas e de suas famílias... que tais crimes sejam perpetrados... em nome e sob pretexto de algo que se denomina uma igreja."

A opinião de Lehrer não era exclusividade dele. A princípio, Peruto estava inclinado a acreditar que a igreja era simplesmente uma farsa. "Porém, após assumir o caso, pessoas começaram a me ligar dizendo que tinham sido membros e queriam saber se cultos ainda eram realizados. Fiquei surpreso. Quanto mais descobri, mais me convenci de que não era um esquema de evasão de impostos."

O dr. Clancy McKenzie, psiquiatra que passou mais de duzentas horas com Heidnik em visitas à prisão, também negou veementemente a acusação de que era tudo uma operação falsa.

Enquanto algumas pessoas se sentiam bastante desconfortáveis ao pensar nessa igreja como uma igreja propriamente dita, havia também pessoas igualmente desconfortáveis com a presunção de Lehrer sobre sua jurisdição. No dia seguinte à decisão de Lehrer, terça-feira, 28 de abril, o juiz federal David A. Scholl presidiu uma audiência para determinar se o caso deveria mesmo estar sob responsabilidade de Lehrer ou de um tribunal federal. Três semanas depois, em 19 de maio, o juiz federal emitiu a decisão *dele*. E ela dizia que *ele* — e não o juiz Lehrer — tinha controle jurisdicional.

Na decisão de 21 páginas, Scholl disse que a jurisdição tinha mudado após o encaminhamento da petição de falência. Naquele momento, o Tribunal Federal responsável por falências passou a agir de modo "completo e irrestrito".

Embora considerasse a raiva do juiz Lehrer perante o que acreditava ser "hipocrisia sacrílega, apoio financeiro dado às atividades de Heidnik em nome de uma igreja, com o único intuito de não pagar impostos" algo "totalmente apropriado", ainda assim criticou a conclusão de Lehrer de que a igreja era um esquema. Em suas palavras, a decisão do juiz da primeira instância era "legalmente nula".

O juiz Scholl também apontou dois administradores, um para Heidnik e outro para o espólio da igreja.

Esses procedimentos todos tiveram um efeito imediato e importante no caso criminal. Quando os bens da igreja foram congelados, Peruto viu seus prometidos 100 mil dólares descerem pelo ralo. É preciso ressaltar que ele se recusou a apresentar uma conta pelo tempo gasto e abandonar o caso. Pouco depois, ele foi formalmente nomeado como advogado de Heidnik, tendo que recomeçar exatamente de onde havia parado. Exceto que, dessa vez, o valor de seu salário, nada sensacional, seria de 60 dólares por hora. Apesar da redução dos honorários, decidiu continuar com seu cliente.

...o poço cujos sido destinados para impávido quanto típico do inferno e rumores, como a todos os castigos.

horrores haviam
um dissidente tão
eu –, o poço,
considerado, pelos
Ultima Thule de

— *O Poço e o Pêndulo,*
Edgar Allan Poe

28

ADVOGADO

14.05.1987

Cinco dias antes da decisão do juiz Scholl em um Tribunal Federal, Heidnik foi convocado até a Vara Criminal para outra formalidade: a audiência para atualização do caso. Seria sua última aparição na sala de tribunal até que a seleção do júri se iniciasse.

Heidnik adentrou a sala e se defrontou com o juiz Charles L. Durham, um sereno homem negro que era também o responsável pelo agendamento das audiências da vara. Com os tornozelos acorrentados e as mãos algemadas à frente, Heidnik parecia Houdini se preparando para um truque de escapismo. Quando o oficial do Departamento do Xerife se inclinou para soltar as mãos de Heidnik, ele foi dominado pela emoção do momento; suas mãos tremiam tanto que não conseguia encaixar a chave na pequena fechadura. Heidnik observou a tentativa do policial atentamente. Enquanto o agente se esforçava, Heidnik se virou para Peruto e disse: "Tem algo errado com esse cara". Foi a frase mais longa dita por ele durante toda a audiência, e a única a indicar que ele sabia o que estava acontecendo.

Contrariado, Durham ouviu Peruto explicar que seu cliente não falaria.

"Tudo bem", Durham respondeu. Ele só queria fazer algumas perguntas simples a Heidnik, para se certificar de que o réu entendia onde estava e o que estava acontecendo ali.

Heidnik, com as mãos agora soltas, encenou uma saudação militar para o juiz. Depois, assumiu a posição de descanso militar e ficou olhando para baixo, fitando atentamente o chão. Às vezes, mexia a cabeça.

O juiz Durham o olhou de cima a baixo. "Sr. Heidnik!", disse.

Heidnik demonstrou atenção e o saudou de novo.

"Sr. Heidnik...", Durham começou.

"Sim, senhor", Heidnik respondeu.

"Você sabe onde está?"

"Sim, senhor."

"Você fala inglês?"

"Sim, senhor."

"Você vai para a Lua hoje?"

"Não responda", Peruto sussurrou na orelha dele.

Heidnik permaneceu em silêncio.

Quando o juiz perguntou se Heidnik se declarava culpado ou inocente, Peruto respondeu por ele: "Inocente, meritíssimo".

Frustrado, Durham aceitou a declaração e passou ao caso seguinte.

Depois, em rápida entrevista na sala de conferências, Peruto disse que Heidnik tinha sido instruído a não falar. Ele revelou que planejava alegar insanidade, por isso não queria que psiquiatras da acusação usassem, na tentativa de prejudicar a defesa, qualquer coisa dita por ele no julgamento.

Depois disso, Peruto lidou com tarefas mais mundanas: a enxurrada de documentos que acompanha um caso desse tipo.

Em 22 de maio, oito dias após a audiência — tempo suficiente para que os detalhes mais sórdidos fossem revelados e discutidos pela mídia —, Peruto solicitou a mudança de endereço. A cobertura da mídia tinha sido, segundo ele, "altamente inflamada e prejudicial, em detrimento dos direitos do réu a um julgamento imparcial e ao devido processo legal". "Os detalhes, eventos e fatos relacionados a este caso, agora, são tão bem conhecidos pelos cidadãos e habitantes do país que seria impossível arranjar um júri justo e imparcial."

Ele também encaminhou diversas petições relacionadas à casa de Heidnik e à apreensão da propriedade, mas eram todas manobras legais de praxe, esperadas em qualquer caso criminal relevante. A questão mais importante era a requisição de transferência de local. O juiz Durham decidiu sabiamente não deliberar sobre o pedido até que a data de julgamento fosse agendada. Ninguém sabia ainda, mas a data estava mais distante do que qualquer palpite mais pessimista. Afinal de contas, Peruto mal tinha começado a empregar seu repertório de petições.

29

A JUÍZA

04.04.1988

Para todo mundo, com a possível exceção de Gary Heidnik, os últimos onze meses tinham passado num piscar de olhos. O caso tinha deixado as manchetes e ido parar no noticiário das 18h. O tempo e os desígnios do ramo de notícias tinham se encarregado disso.

Quando os detalhes dos crimes de Heidnik se tornaram públicos, policiais veteranos e entusiastas de homicídios disseram não se lembrar de incidentes tão sangrentos quanto os atribuídos ao homem da rua Marshall. No entanto, em menos de cinco meses, outro caso quase eclipsou o de Heidnik.

Em 9 de agosto de 1987, um domingo de calor, a polícia recebeu a ligação de um morador zangado de uma área carente da zona norte. Ele disse que estava pingando sangue do teto do apartamento, vindo do andar de cima. Provavelmente, esse era o único tipo de coisa que motivaria uma chamada. O edifício envolvido era tão deplorável que os moradores, na ausência de água tratada e encanamento, defecavam em baldes, que eram esvaziados no quintal cheio de lixo.

Quando a polícia chegou, os agentes quase se engasgaram com o cheiro. Com máscaras de gás, abriram caminho através do quarto nos fundos, cuja porta tinha sido pregada. No quarto, encontraram os restos de cinco mulheres. O corpo de uma sexta estava dentro de um armário, também fechado com pregos. E acharam ainda mais um corpo, parte dele no telhado e parte no porão do edifício vizinho. Alguns dias depois, um deficiente mental de 29 anos de idade e físico de atleta se entregou. Harrison "Marty" Graham disse que tinha começado a matar mulheres no inverno anterior, ao mesmo tempo que Heidnik mantinha as reféns no porão, a pouco mais de três quilômetros dali. Graham disse que atraía as mulheres com oferta de drogas, para em seguida estrangulá-las durante o sexo.

Confessou praticar necrofilia. Disse que, enquanto conseguia suportar o odor, retornava aos corpos para fazer sexo.

Por um tempo, os detalhes dos atos revoltantes de Graham fizeram a Filadélfia esquecer Heidnik, que vegetava na ala psiquiátrica enquanto Peruto e Gallagher compilavam seus arquivos para o julgamento. Oficialmente, o procedimento deveria começar na primeira segunda-feira de abril. Mas é claro que não começou. E, na verdade, levaria diversas semanas. No entanto, todos tinham de seguir o processo. Todas as pessoas que estiveram na sala do juiz Durham em maio do ano anterior, com exceção apenas de Heidnik, voltaram à sala 613 em 4 de abril.

Peruto e Gallagher ficaram lado a lado na pequena sala, aguardando Durham determinar formalmente o juiz que presidiria o julgamento. Exceto pelo fato de que ambos os homens tinham mais ou menos a mesma altura — algo em torno de 1,70 metro —, os dois juristas não poderiam ser mais diferentes.

Peruto era um almofadinha dado a ternos e camisas sob medida, abotoaduras de ouro e sapatos chiques. Usava barba, curta e imaculadamente aparada. O cabelo era um tanto mais longo do que a moda ditava, firmado com laquê. Ele tinha torso de halterofilista e arrogância sutil. De perfil, lembrava Burt Reynolds. Como o astro, tinha ciência de seu porte e da imagem que projetava — quanto mais jovem e em forma, melhor — para os admiradores que frequentavam o tribunal só para vê-lo.

Gallagher, por outro lado, era tão despretensioso quanto um sofá marrom. Vestia terno cinza ou preto barato, com meias brancas e gravata poá vermelha. Os sapatos eram do tipo funcional. Estava começando a criar barriga, o que não parecia incomodá-lo; limitou-se a substituir os suspensórios por cinta abdominal. O corte de cabelo era curto, em estilo militar, com as costeletas aparadas na altura do meio da orelha. Seria incapaz de reconhecer uma lata de laquê se lhe mostrassem. Seus óculos sem aro pareciam ter saído do estoque do Exército, em vez de uma ótica. Ele parecia o Oliver North rechonchudo.

Durham não perdeu tempo e anunciou que o caso de Heidnik seria julgado por Lynne M. Abraham. Caberia a ela, acrescentou, definir a data para a seleção do júri e também decidir todas as petições futuras, incluindo os pedidos de Peruto para mudança do local do julgamento e para o psiquiatra da acusação, dr. Robert Sadoff, fornecer uma lista dos casos em que tinha testemunhado.

De repente, a audiência terminou. Levou menos de dez minutos. Os jornalistas que lotavam a sala foram embora sem muito a reportar, mas com uma lição de casa. Todos correram para os computadores com a tarefa de pesquisar nas bibliotecas eletrônicas e descobrir algo sobre a mais nova personagem desta novela: Lynne Abraham. Qual era a história dessa juíza?

30

COOKIE

1988

Lynne Abraham era, em suas próprias palavras, um "osso duro". Era uma mulher corpulenta, que usava o cabelo grisalho penteado para trás, cobrindo as orelhas. Era uma formidável veterana, tanto do sistema judiciário da Filadélfia quanto da política.

Enquanto se formava na Faculdade de Direito da Universidade de Temple, uma geração antes, não existiam muitas vagas disponíveis para mulheres no serviço público, por essa razão, foi trabalhar no Departamento de Habitação e Desenvolvimento Urbano dos Estados Unidos. Em segredo, buscava um jeito de chegar aos tribunais.

Ela devotava seus dias ao departamento e as noites às aulas da graduação em Temple. Logo se tornou amiga de um instrutor, o principal assistente do promotor Arlen Specter. Foi ele que apresentou Abraham a Specter, que lhe ofereceu um emprego. Como o cargo oferecido era na Vara da Infância e Juventude, ela ficou relutante em aceitar. Contudo, conseguiu costurar um acordo com seu novo empregador para, em vez de ir para aquela vara, trabalhar na vara do juiz auxiliar. Por ora já estava bom, ao menos até conseguir chegar ao lugar que realmente desejava: a divisão de homicídios, atuando em casos da vara criminal. Não levou muito tempo para alcançar esse posto.

Ao assumir o cargo de promotora, rapidamente conquistou o respeito dos outros promotores e juízes, pelo conhecimento da lei e pela agressividade. Já os advogados de defesa eram mais reservados nos elogios, pois era difícil derrotá-la. Era perfeccionista, para quem o trabalho se tornou uma paixão. Tomemos a ciência forense como exemplo. Ela se preocupava com o fundamento das causas em que atuava e entendeu que a melhor maneira de se preparar para os casos era conhecer todas as etapas do processo. Para a surpresa dos legistas da cidade, ela começou a frequentar autópsias. Argumentava que a ajudava no tribunal. Não demonstrava piedade com advogados de defesa ou seus clientes. Ela raramente fazia concessões; "acordo" era uma palavra que lhe provocava engulhos.

Em pouco tempo, ficou conhecida como uma promotora obstinada e impiedosa.

Ela chamou a atenção do prefeito Frank L. Rizzo, que tinha problemas com os funcionários de sua gestão e procurava alguém de fora para limpar a bagunça. Por isso, ele lhe ofereceu o cargo de chefe da Secretaria de Redesenvolvimento. Foi o próprio Rizzo quem a apelidou de "osso duro" e disse que, se alguém podia erradicar a corrupção na agência, era Lynne Abraham. Quatro anos após seu primeiro caso, Abraham deixou a promotoria. Depois, nunca mais entrou na sala de tribunal sem ser como juíza.

Porém, a lua de mel com Rizzo foi curta. Em menos de um ano, os dois já discordavam veementemente. Após quinze meses, ele a demitiu, alegando que os investidores não queriam trabalhar com ela por considerarem-na arrogante demais. Para Abraham, Rizzo desejava livrar-se dela, pois, além de não contratar os amigos do prefeito, ela não fazia vista grossa para os procedimentos por trás de certos contratos.

Após aprender política na prática, ela procurou outro modo de voltar aos tribunais. Em 1975, tornou-se a primeira juíza eleita da cidade. Quatro anos depois, concorreu a uma vaga com mais poder, um assento na Vara Criminal. Sua campanha foi inspirada no apelido que recebeu do prefeito Rizzo. Lynne Abraham ganhou apoio público distribuindo *cookies*[1] nas esquinas.

---

1   [NT] A campanha fazia um trocadilho entre a personalidade da juíza e cookie, um biscoito de formato geralmente redondo, duro e bastante consumido nos EUA, que empresta seu nome à expressão equivalente ao nosso "osso duro" (em inglês é "tough cookie").

Apesar de haver voltado aos tribunais, a política ainda clamava por ela. Em 1985, aos 44 anos, Abraham estava prestes a candidatar-se a promotoria pública[2], mas desistiu ao perceber que não teria o apoio esperado do então prefeito W. Wilson Goode. Naquela ocasião, a ala de poder negro dos Democratas decidiu que um homem negro seria um candidato melhor do que uma mulher branca. No entanto, o homem que escolheram foi vencido pelo republicano Ronald Castille, ex-fuzileiro bastante determinado, que havia perdido a perna no Vietnã enquanto servia o Exército.

A força que guiou Abraham a virar uma promotora focada e intransigente, além de possível candidata a cargo público, ficou visível ao assumir o julgamento de Heidnik. Os instintos dela como agente da lei inflexível ainda estavam lá, aliados a sua tendência ao pedantismo. Na seleção do júri em particular, ela quase levou à loucura o advogado de defesa, Peruto, e, embora jamais admitisse, talvez Gallagher também, quando, por repetidas vezes, interrompeu o questionamento que ambos faziam aos jurados convocados. "Permita-me reformular" era uma de suas frases prediletas, que era repetida sempre que achava que um dos juristas não tinha sido claro o suficiente em seu questionamento. "Permita-me explicar de outra maneira" era outra de suas favoritas. Também usava o recurso do olhar intimidador, dizendo, logo após um dos juristas formular a pergunta, a seguinte frase: "Não responda! O sr. Peruto (ou o sr. Gallagher) está testando você".

Não era tanto que as interpretações dela não fossem precisas, apenas pareciam supérfluas, quase sempre prolixas e teatrais, às vezes, até condescendentes. Na maioria dos casos, os candidatos pareciam ter entendido perfeitamente o que o advogado havia perguntado, mas é claro que não se viam em posição de explicar isso à juíza Abraham.

Quando ela queria, exibia grande senso de humor. E era capaz de se fechar em copas, sobretudo com membros da mídia, a quem devotava atenção especial. É verdade que muitas vezes parecia desprezar repórteres, apesar de que, em algumas ocasiões, parecesse decidida a

---

2   [NT] Na Filadélfia, o cargo é eletivo.

causar boa impressão. Talvez não gostasse da imprensa, apesar de o marido ser uma personalidade do rádio local, contudo, ela certamente era astuta o suficiente para reconhecer sua utilidade, ainda mais se estivesse de olho em um cargo mais elevado do que o da Vara Criminal. O rumor entre os entendidos, à época do julgamento de Heidnik, era que havia desistido de chegar ao posto de chefe da promotoria e estava, em vez disso, direcionando esforços para uma campanha pela vaga na Suprema Corte. Se fosse verdade, haveria oportunidade melhor do que um julgamento destinado a ocupar muito espaço nas manchetes? Ela não seria a primeira juíza a ter a carreira catapultada por presidir um caso com tamanha repercussão. Nem seria a última.

31

ROUPAS

16.05.1988

Gary Heidnik estava trancafiado. Com exceção do advogado dele, de alguns psiquiatras e de funcionários da prisão, ninguém o via fazia um ano. Mas isso logo mudou. Em uma segunda-feira fria e nublada no meio de maio, doze meses e dois dias após sua última aparição pública, ele brotou — ou, melhor dizendo, se arrastou — diante dos olhos de todos. Quando a pesada porta na sala do tribunal da juíza Abraham se abriu, aproximadamente uma dezena de repórteres e um punhado de espectadores se acotovelaram para ver, ainda que de relance, o homem que, mesmo após Marty Graham, ainda era a maior referência em crimes sangrentos na Filadélfia.

Com todos boquiabertos, Gary Heidnik adentrou a sala parecendo um fantasma, arrastando devagar os pés pelo chão. Ele se movia como um esquiador que subitamente se percebe sem neve. Era como se suas botas fossem de chumbo, ou estivessem grudadas por alguma força ao carpete manchado da sala. Esquerda... direita... esquerda... direita. Ele caminhava lentamente. Os repórteres se olharam surpresos. "Esse é o Gary Heidnik?"

Nos últimos meses, a reputação de Heidnik, o assassino insano de mulheres, tinha crescido. O Louco da rua Marshall tinha assumido proporções monstruosas. Tornou-se o *ignominioso* Gary Heidnik. Na lenda, tinha mais de 2 metros de altura; era musculoso, confiante e desdenhoso; uma bomba-relógio ambulante. Porém, a realidade era outra. Todos esperavam algo diferente do que foi apresentado.

O *velho* Gary Heidnik tinha reputação em seu bairro de se vestir bem, ainda que tivesse uma queda por camurça. No passado, uma de suas peças de roupa favoritas era um colete de couro preto. E, sem dúvida alguma, *adorava* a jaqueta de camurça com franjas, que vestia ao ser preso. Na Filadélfia, quase sempre era possível ver Gary com aquela jaqueta, pois as estações locais de TV mostravam os mesmos clipes toda vez que a história era atualizada. Contudo, os funcionários que o conduziram desejavam nunca mais ver aquela peça de roupa. Reclamaram que estava impregnada de forma irremediável com o fedor de carne queimada.

O que diziam na rua Marshall era que Heidnik sempre se vestia bem, mesmo que fosse para levar um carro na oficina. Parecia que o encarceramento o influenciou a adotar um novo estilo. Quando veio aos tropeços pelo corredor que ligava a cela de custódia ao tribunal, para o início da seleção do júri, certamente não dava qualquer sinal de que algum dia havia se vestido com orgulho. Parecia só um infeliz franzino, metido numa roupa de palhaço.

A calça bege estava limpa e passada, mas era ao menos dois números maior; ficava entrouxada na cintura, com o fundilho caído, larga demais nas pernas e arrastava no chão. Ele usava casaco de lã estilo marinheiro, azul-marinho. Todos os botões estavam fechados, mas não tinha como saber se era por causa do clima, ou de sua tendência a usar roupas em excesso. Sob o casaco, a peça era a mesma de sempre: camisa havaiana preta desbotada, com orquídeas roxas e folhas brancas, que vestia quando foi preso no ano anterior. Talvez ela tivesse sido lavada nesse intervalo. Talvez não. Mais tarde, durante o julgamento, Peruto teve de obter uma ordem judicial para que trocasse de camisa e tomasse banho.

A bem da verdade, suas opções de guarda-roupa eram limitadas. Todas as roupas, incluindo sua amada jaqueta de camurça com franjas, ainda estavam em poder da polícia, como prova. O sujeito no comando da sala de roupas usadas da prisão tinha se tornado seu provedor. E, obviamente, eles não eram bons amigos.

Mas havia algo a mais por trás da vestimenta bizarra de Heidnik. Peruto *queria* que ele parecesse desalinhado. Como um desabrigado, como um doido. Se você é advogado e quer criar uma defesa, você não quer ver seu cliente entrando no tribunal como se tivesse passado numa loja chique e comprado um terno especialmente para o julgamento. Peruto o ajudou a escolher a roupa e instruiu Heidnik a arrastar os pés, a parecer vago e desconectado de tudo e também a bater continência para ele toda manhã. Fazia parte do jogo. Ser advogado de defesa, Peruto insistia, era mais do que aparecer na sala de tribunal e protocolar petições.

Peruto, é claro, teve mais do que uma ajudinha dos médicos da prisão, que mantiveram Heidnik sob controle com 300 miligramas de Clorpromazina ao dia.

Mas uma coisa não foi simulada: a condição física de Heidnik. Era deplorável. Todos que assistiram às imagens de quando ele foi preso viram um homem bonito. *Aquele* Heidnik tinha a barba curta e aparada. Cabelo ondulado aparado. Nariz reto, formas bem-preenchidas. Em geral, alguém de aparência saudável. *Esse* Heidnik pesava quinze quilos a menos. O pescoço parecia longo e magro. Os braços eram como palitos. Os pulsos algemados eram ossudos e tinham cor azulada. Porém, a maior diferença era o cabelo. Heidnik não cortava o cabelo fazia catorze meses, e grandes anéis oleosos pendiam sobre os ombros. Era perceptível que não havia usado xampu nos últimos dias, talvez nas últimas semanas. A barba, sem corte, desgrenhada e cheia de fios brancos, roçava o peito. O nariz estava amassado e torto, recordação do ataque de outros presos no dia de seu encarceramento. Em resumo, parecia um trapo. Exatamente como Peruto queria.

Uma coisa, no entanto, permanecia inalterada: os olhos. Olhos sonolentos, cinza-azulados e tão frios quanto o inverno da Filadélfia; ainda estampavam perturbação, ainda estampavam ira. "Olhos sinistros", seu advogado os chamava. Olhos de Charles Manson. Olhos de fanático.

A aparição de Heidnik teve um toque de irrealidade. Uma atmosfera sinistra. Porém, era adequada ao local. Talvez Gary Heidnik não fosse o típico réu de assassinatos, contudo o edifício em que o julgamento estava ocorrendo, a Câmara Municipal da Filadélfia, também não era o típico tribunal de tijolos e vidro.

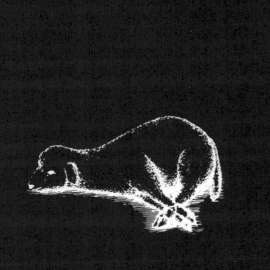

32

SALA 653

1988

Câmara Municipal. Estilo. História. Nobreza. Degeneração. Pobreza. Pode escolher; todas essas palavras servem.

Inspirado no Louvre, em estilo conhecido como franco-vitoriano, o edifício foi construído na década de 1880 naquela que era então a principal praça da cidade. Hoje, ela fica isolada no centro de uma enorme rotatória, bem no meio do distrito comercial, se erguendo em meio a um mar de carros feito um Estreito de Gibraltar construído por mãos humanas. Os primeiros sete andares são em bloco único, dividido em áreas de trabalho. Sobre o bloco, há uma torre graciosa, complementada pela estátua de Willian Penn, o fundador da cidade e inspiração para o nome do estado. Do chão até o alto do chapéu de Billy Penn são quase 150 metros, mais ou menos quarenta andares. Até 1987, quando One Liberty, um arranha-céu de 61 andares, foi erigido nas redondezas, era o edifício mais alto da cidade. Embora ultrapassado em altura, não perdeu nada de sua majestade.

É uma pena que a grandeza do edifício seja superficial. Por dentro, já não é tão grandioso. Os corredores são amplos como algumas das velhas ruas que o cercam e tão sombrios quanto. Os pisos de linóleo são rachados e cheios de marcas de cigarros, permanentemente manchados por líquidos misteriosos e corrosivos. Embalagens de comida, copos de café amassados, latas de refrigerante vazias e velhos jornais se acumulam nos corredores, o *habitat* tanto de criminosos quanto de policiais.

Ocasionalmente, também são usados para outras coisas. Certo dia, antes do julgamento, quando uma onda de calor persistente desencorajava a corrida sob o sol, um praticante em trajes esportivos determinadamente fez seu circuito nos, aproximadamente, 500 metros do retângulo situado no sexto andar.

Os corredores são perfilados com janelas altas, uma dádiva para quem aprecia a boa arquitetura. Infelizmente, são quase todas voltadas para dentro, de frente para vãos e pátios internos, cheios de lixo e mobília quebrada.

Se os corredores são ruins, as escadas são piores. Muito piores. Embora desenhadas para circundar elegantemente em torno da área, criando a impressão de espaço, elas se deterioraram em passagens escuras e malcheirosas. Quando as primeiras equipes de limpeza chegam, a primeira coisa que limpam são as escadas, onde regularmente encontram poças de urina e montes de excremento.

A deterioração da Câmara Municipal não é apenas resultado de desleixo. O prédio simplesmente é usado demais, enquanto recebe fundos de menos. É um local de trabalho, não um museu. Há salas de audiência para oitenta juízes no prédio. A vara criminal, a maior usuária, tem quase cinquenta juízes e centenas de funcionários: escriturários, escrivães, arquivistas, secretários, recepcionistas, telefonistas, meirinhos, pregoeiros, estenógrafos, repórteres de tribunal e policiais que mantêm a ordem no tribunal. A cada ano, em torno de 13 mil procedimentos criminais ocorrem no prédio, incluindo cerca de 350 julgamentos de assassinato.

A cada dia, aproximadamente 250 presos passam pelo portão sudoeste da Câmara Municipal, o ponto tradicional de embarque e desembarque. O transporte não é sofisticado: um ônibus grande, marrom ou azul, com tela de arame grossa nas janelas, o interior dividido como uma grande jaula. Mas Heidnik tinha tratamento especial. Por ser suicida em potencial, quase sempre viajava sozinho, em uma van ou caminhonete.

Mas esse tratamento especial acabava ao passar pelo portão. Lá dentro, se juntava com os demais presos e pegava o elevador expresso até o sétimo andar, onde estavam as celas de custódia.

Heidnik, em geral, ficava com outros presos em uma cela, que abrigava cinquenta homens. Normalmente, ele se arrastava até o canto e lia sua edição de bolso do Novo Testamento, que carregava em envelope pardo, ou podia também dormir até a hora de descer para a sala 653, o domínio da juíza Abraham.

A sala 653 é notória e conquistou seu lugar na história do edifício. O que a torna pitoresca ocorreu em 18 de agosto de 1986. A juíza Lynne Abraham estava na tribuna e, no banco dos réus, em vez de Gary Heidnik, sentava-se Robert McPeake, trabalhador da construção civil desempregado, de 31 anos, acusado, assim como Heidnik, de estupro. O júri havia passado cinco dias ouvindo testemunhos do caso. McPeake já tinha sido condenado pelo mesmo crime e sabia que, em caso de nova sentença, não seriam piedosos. Quando o júri voltou, o veredicto foi contra ele. Exercendo seu direito, o advogado de McPeake solicitou que os jurados confirmassem os votos. Um a um, eles ficaram de pé, confirmando que tinham considerado o réu culpado. McPeake, nesse meio-tempo, estava sentado rijo atrás da mesa da defesa, olhando nervosamente pela sala. De repente, quando o penúltimo jurado se levantou para autenticar a decisão, McPeake saltou de pé e atravessou a sala correndo. Ergueu as mãos para cima como um mergulhador no trampolim, pulou pela janela e despencou seis andares até a morte. Após evacuarem o tribunal, Abraham, ainda chocada, balançava a cabeça, em negação. "Trabalho em tribunais há muitos anos", disse, abatida, "mas nada poderia ter me preparado pra isso."

McPeake havia ensinado uma lição a Abraham. Quando foi a vez de Gary Heidnik comparecer, a juíza não queria correr riscos. Assim que ele chegou, as mãos foram algemadas para trás. Era escoltado por dois seguranças corpulentos, um de cada lado. Na frente da janela através da qual McPeake saltou, agora havia um ventilador. Como nunca era ligado, é provável que tivesse sido colocado ali como barreira caso alguém tentasse imitar McPeake.

Não era loucura imaginar que Heidnik pudesse ter pensamentos similares. De acordo com os registros médicos, ele havia tentado o suicídio algumas vezes. No entanto, no momento, parecia haver poucos motivos para preocupação. Quando se arrastou pela sala, ficou evidente que não teria força suficiente para correr pelos quase 10 metros que o separavam das janelas, mesmo que não houvesse segurança reforçada.

Quando chegou a seu lugar na mesa da defesa, sentou quieto na cadeira de madeira de encosto reto, à direita de Peruto. Endireitou a coluna e sentou-se totalmente ereto, como havia aprendido na escola militar, décadas antes. Olhava de modo perdido para a parede ao fundo e demonstrava não se interessar pelo que acontecia ao redor. Era como se estivesse em transe; de fato, havia sido diagnosticado no passado como catatônico. Mas, com o desenrolar do processo, ele ficou mais animado. No segundo dia, abandonou a pretensa inércia, para acompanhar tudo atento. No terceiro dia, estava caminhando com mais agilidade, o que foi rapidamente corrigido por Peruto. "Caminhe se arrastando", relembrou ao réu. "Não levante os pés." No quarto dia, ele ria e fazia piadas com o advogado.

Apesar dessas mudanças, continuou se recusando a trocar de camisa, lavar o cabelo ou tomar banho. Conforme os dias transcorriam, Peruto começou a questionar a inteligência das instruções que deu ao cliente. "Quando disse pra ele não tomar banho, não quis dizer pra nunca mais tomar", Peruto reclamou. "Depois de alguns dias, o cheiro já era bem forte." Então, na metade do julgamento, Peruto implorou à juíza Abraham que assinasse uma ordem judicial obrigando Heidnik a tomar banho. No sexto dia de julgamento, Heidnik surpreendeu a todos, até mesmo a Peruto, ao aparecer com uma camisa de mangas compridas azul, amassada, mas limpa. Contudo, no dia seguinte, reapareceu vestido com a camisa havaiana.

33

VENIRE

16.05.1988

Em total contraste com o desleixo do cliente, Peruto, com 33 anos de idade, era o pavão da sala 653. No primeiro dia da seleção de júri, vestia terno escuro, gravata vinho e camisa listrada vermelha e branca, com o colarinho todo branco. A barba escura estava aparada e penteada com esmero; o cabelo dava a impressão de ter sido esculpido com o secador. Ele parecia um modelo de capa de revista. Enquanto esperava a juíza Abraham chegar, caminhava nervoso em torno da mesa da defesa, sacudindo a cabeça de vez em quando. Nem um fio de cabelo balançava.

Do outro lado do estreito corredor estava Charles Gallagher, o promotor focado e calado, tentando condenar Heidnik. Desde a última vez que Gallagher havia estado na sala de tribunal por causa de Heidnik, havia sido promovido de promotor assistente a subpromotor. Se Peruto parecia saído de uma revista masculina, Gallagher vestia terno escuro levemente amarrotado que parecia tirado da sacola meia hora antes da audiência, antes de ser passado.

Peruto era extravagante, espertalhão, advogado intempestivo, que dependia de seu estilo tanto quanto de conteúdo para provar seus argumentos ao júri. Gallagher era do tipo vagaroso, administrador cuja especialidade eram as leis de apelação. Esse era seu primeiro caso envolvendo pena de morte. Ele não estava na sala da juíza Abraham para impressionar com as roupas ou fazer jogos psicológicos com os jurados. Estava ali para mandar um sujeito para o corredor da morte.

Peruto e Gallagher remexiam os papéis com gestos nervosos; dois lutadores em seus cantos do ringue, aguardando o soar do gongo. Gary Heidnik tinha passado 420 dias preso, e seu julgamento ainda não havia começado. Eles não faziam ideia, mas teriam de esperar mais um tempo.

Se dependesse de Peruto, esperariam *bem* mais. Quanto mais conseguisse atrasar o processo, melhor. Ele adoraria atrasar o julgamento por mais um ano inteiro. Seria a melhor forma de adiar aquilo que todos os observadores consideravam inevitável: Heidnik muito provavelmente receberia a pena mais dura possível. Qualquer coisa fora isso seria um pequeno milagre, uma vitória de Peruto e de seu cliente. Porém, a chance, ele sabia, era de mínima a nenhuma. A movimentação tinha começado. O momento da verdade estava próximo.

Ao que tudo indica, Heidnik estava alheio à tensão. Ele olhava para a frente, seguindo com esmero o conselho do advogado de aparentar desinteresse. É possível que talvez estivesse desinteressado *de verdade*. O ex-médico do Exército, ex-enfermeiro, autoproclamado bispo, fundador de igreja, pervertido, recluso e exímio manipulador do mercado financeiro talvez não se importasse mesmo em ir para Rockview e ser amarrado na cadeira elétrica. Talvez tivesse dado a ele algum consolo saber que, embora houvesse naquele momento quase noventa homens no corredor da morte, a Pensilvânia não executava ninguém desde 1962.

O quarto grande participante da luta que se iniciava, a juíza Abraham, olhou de trás dos óculos sem aro para o estranho trio diante dela — o réu sinistro, o defensor elegante e o promotor intenso e solene — e soou o gongo: "Vamos até o meu gabinete", disse bruscamente.

O convite não se estendeu a Heidnik, à imprensa ou ao público, apenas a Gallagher, a Peruto e ao estenógrafo, que silenciosamente pegou sua máquina e seguiu os demais até os bastidores.

Durante a hora seguinte, Heidnik, uma dezena de espectadores e um número similar de repórteres foram deixados a sós. A sala era enorme, com pé-direito de 9 metros de altura e área para o público com 150 assentos. O público era tão pequeno, e a sala tão grande, que parecia quase vazia. Mas isso mudaria com o começo do julgamento; mais adiante, a sala ficaria lotada, com fila de espera do lado de fora. Contudo, naquele dia, Heidnik ficou olhando para a parede, com as mãos entrelaçadas sobre a mesa ou atrás da cabeça. Ele não estava dormindo, dava para ver as pernas se sacudirem lenta e metodicamente. Para cima, para baixo, para a direita, para a esquerda. Por horas e horas, raramente mudando de ritmo; jamais parava. Talvez estivesse nervoso. O mais provável é que fosse a medicação. Os médicos recomendam a quem toma Trifluoperazina ou Clorpromazina "aquecer" as pernas antes de se levantar para evitar tontura, um efeito colateral.

Sem anúncio, Peruto e Gallagher reapareceram, seguidos do estenógrafo e sua máquina. Abraham entrou pela porta de trás e foi direto para a tribuna.

Ela explicou que a discussão de bastidores se referia a petições protocoladas por Peruto. Sua requisição para mudança de local, ou seja, mudar o julgamento para outra cidade — definitivamente não seria para algum lugar "no Alaska", como Peruto tinha brincado com os repórteres anteriormente — havia sido retirada. No entanto, ele não tinha desistido de sua segunda maior petição.

"Se eu concordar com a requisição do sr. Peruto da mudança de júri", disse Abraham, pronunciando o termo em latim, *ve-ni-re*, "significa que o julgamento ainda ocorrerá aqui, mas que o júri será selecionado em outro lugar."

Ela acrescentou que essa era uma petição que estava relutante em conceder, ao menos sem antes tentar selecionar um júri na Filadélfia. O argumento para a requisição de Peruto era que cidadãos da Filadélfia tinham sido bombardeados com informação demais sobre Heidnik. Segundo Peruto, eles tinham ouvido tanto sobre o caso e por tanto tempo que não conseguiam mais ser objetivos.

A questão primária, Abraham declarou, não era se jurados em potencial tinham ouvido o caso, mas, sim, se o que tinham ouvido os fizera ter opiniões inabaláveis a respeito da culpa de Heidnik.

Antes de começar a questionar os jurados, Abraham queria ter uma ideia do que tinha saído na imprensa, sobretudo na TV. Com o consentimento da juíza, um assistente trouxe o suporte com uma televisão grande e videocassete. Ele parou bem em frente à ala do júri e virou o equipamento de modo que a tela ficasse de frente para a juíza Abraham, para os dois juristas e para Heidnik. Peruto deu um passo para a frente e inseriu a primeira de uma série de fitas no videocassete. Enquanto um segmento rememorando a prisão de Heidnik e também uma série de notícias ligadas aos eventos ocorridos na rua Marshall era mostrada repetidas vezes, algo curioso aconteceu. Heidnik, que vinha obstinadamente ignorando as formalidades até o momento, passou a se envolver. Enquanto sua imagem aparecia repetidas vezes na tela — em dado momento com sua jaqueta predileta, de franjas nas mangas, em outro sendo conduzido tribunal adentro para a audiência de custódia — abandonou o distanciamento e virou a cadeira para ver melhor. Seu rosto continuava impassível, mas os olhos cor de gelo se mexiam enquanto as imagens brilhavam na sua frente. Às vezes, se inclinava e sussurrava para Peruto.

Quando a exibição encerrou, Abraham determinou que encerrassem o dia. No dia seguinte, prometeu, começaria a jornada para encontrar doze cidadãos isentos. Na terça-feira, a primeira tarefa seria examinar um grupo de sessenta convocados.

34

SELEÇÃO

17–18 Mai.1988

Eles marchavam em fila única, após passar a tarde sentados à direita da juíza. Abraham tinha reservado o lado esquerdo da área de espectadores para eles. Quando entraram, tiveram de atravessar a sala em diagonal, e passar a poucos metros de Heidnik. Cada um que passava dava uma rápida espiada, para em seguida desviar o olhar. Ele os ignorou, olhando sem piscar para a parede ao fundo. Ninguém tinha sido avisado para qual caso poderiam ser selecionados, mas, a essa altura, Heidnik era reconhecível por qualquer um na Filadélfia com idade suficiente para assistir à TV, o que seria confirmado em poucos minutos.

Após todos fazerem o juramento em uníssono, a juíza Abraham assumiu.

"Este é o caso do Estado contra Heidnik", explicou. Ninguém pareceu surpreso. Ela parou e examinou o grupo. Era diverso, talvez algumas mulheres a mais do que homens, mas, no geral, bastante equilibrado. As idades variavam de 20 a 70 anos. Aproximadamente, a metade das pessoas era negra.

"Esse é Gary Heidnik", repetiu para enfatizar, "não Marty Graham."

O julgamento de Graham tinha terminado duas semanas antes, na sala vizinha. O juiz Robert A. Latrone, após determinar o julgamento sem júri, o considerou culpado do assassinato de sete mulheres. Minutos após Graham ser considerado culpado, ele sorriu, gargalhou e deu autógrafos para os subxerifes. Embora o Estado tivesse requisitado a execução de Graham, Latrone, aparentemente em um momento de compaixão, ignorou o pedido. Em vez disso, elaborou uma sentença complicada que dizia que o assassino desequilibrado — que em momento crucial do julgamento pediu de volta seu fantoche predileto, que chamava "monstro do biscoito" — passaria o resto da vida na prisão.

Latrone condenou Graham à prisão perpétua pelo primeiro assassinato e à pena de morte pelos outros seis, além de sete outros delitos com penas de um a dois anos, por abusar dos cadáveres das vítimas. Do modo como a sentença foi formulada, Graham primeiro cumpriria as penas pelos delitos e só a partir daí começaria a pena de prisão perpétua. Caso tentasse obter condicional, a pena de morte passaria a valer. Autoridades legais concordaram que era um arranjo muito atípico e que, com certeza, seria questionado pelo Estado, com base em que a pena de morte tem precedência sobre a de prisão perpétua. Não obstante, essa seria uma batalha para os tribunais superiores e, definitivamente, não era algo para a juíza Abraham considerar. Na verdade, ela não estava nem um pouco preocupada com Graham ou seus enroscos legais. Só queria ter certeza de que os possíveis jurados sabiam diferenciar os dois casos.

"Quem já ouviu sobre o caso de Heidnik, por favor, fique em pé", Abraham pediu. Conforme o esperado, todos se levantaram.

Nos vinte minutos seguintes, ela os questionou em grupo, peneirando quem achava Heidnik culpado e quem achava também que não mudaria de ideia. Eles não eram aceitáveis para o júri. Também não eram aqueles opostos à pena de morte, nem aqueles que teriam prejuízos injustos se ficassem isolados por um mês ou mais. Quando terminou, cinquenta dos sessenta jurados convocados haviam sido eliminados. Mas aquela era apenas a primeira rodada. Ela mandou os dez remanescentes para a antessala, de onde seriam chamados individualmente e questionados outra vez, numa tentativa de determinar se eram apropriados. Assim que saíram da sala, Peruto levantou: "Gostaria de trazer à atenção de Vossa Excelência", em falso tom de ultraje, "que uma daquelas mulheres piscou para mim. Ela deve ter piscado pra mim uma dezena de vezes."

Abraham conteve um sorriso. "Qual?", ela perguntou em tom gentil.

"Não sei", Peruto respondeu, "mas ela estava na fileira da frente." Ao se virar, ele contou o número de assentos. "Bem aqui", apontou, "um, dois, três, quatro. Quarto assento da fileira."

Abraham sugeriu adiar a decisão da mulher piscante até que ela voltasse para o interrogatório mais detalhado. Assim que retornou, Peruto a dispensou quase imediatamente, com uma de suas adoradas recusas imotivadas.

Pela lei da Pensilvânia, a defesa e a acusação têm, cada uma, direito a vinte recusas imotivadas — ou seja, rejeitar jurados convocados sem justificativa. Eles também podem ser desqualificados por causas específicas, como preconceito ou circunstâncias extenuantes que afetariam sua capacidade de julgamento; doença, por exemplo. Mas essa decisão cabe a juíza, em geral por requisição da defesa ou da promotoria. Recusas imotivadas são valiosas para ambos os lados na hora de formar o júri.

No fim do dia, quatro dos jurados convocados tinham sido selecionados, uma proeza considerável, tendo em vista os obstáculos. A juíza Abraham, que ainda não tinha decidido sobre a petição de Peruto para a mudança total no júri, estava particularmente satisfeita. "Já vi as coisas andarem mais devagar em casos com muito menos publicidade", ela confidenciou.

Mas algo a incomodava. Os quatro selecionados eram brancos. Durante o dia, Gallagher tinha usado duas de suas vinte recusas imotivadas; e Peruto, três. E as três recusas de Peruto foram de pessoas negras. Ela estava com a forte impressão de que Peruto queria um júri só de pessoas brancas e iria peremptoriamente dispensar toda pessoa negra que passasse pela triagem inicial. E isso, sustentou, seria intolerável.

Lançando um duro olhar para o advogado de defesa, Abraham o alertou de que ele estava brincando com o perigo. "Não quero encarar acusações de que a defesa está usando discriminação para sistematicamente excluir negros", disse. "Não quero uma acusação sequer de preconceito reverso."

Peruto se fez de inocente. "Não vai haver, Vossa Excelência", prometeu.

A sensação de progresso de terça-feira se estendeu à quarta.

Como nos dias anteriores, os sessenta jurados convocados admitiram já ter ouvido falar de Heidnik e de seus supostos crimes. De toda sorte, isso não era inesperado. Terminada a seleção, apenas cinco jurados restavam, metade do número do dia anterior. Mas era a qualidade que contava.

Na sessão da manhã, dois jurados foram escolhidos, ambos brancos. Mas Peruto também tinha usado duas recusas em pessoas negras. Após a segunda vez, a juíza Abraham se inclinou para a frente, fazendo contato visual com ele. "Me reservo o direito de recusar o júri todo", disse a ele, zangada, "se sentir que houve exclusão sistemática de pessoas negras."

"Asseguro que não estamos tentando fazer isso", jurou Peruto.

Ao fim da sessão da manhã, Abraham prometeu convocar outro grupo para a tarde. Obviamente, satisfeita com o modo como a seleção do júri transcorria, queria mais tempo para decidir sobre a petição de Peruto quanto à troca do local de seleção dos jurados.

Mas esses planos foram abruptamente cancelados quando os novos jurados convocados se queixaram das equipes de reportagem filmando nos corredores quando eles entraram na antecâmara para preparação.

Isso a deixou furiosa. "Eles se sentiram prejudicados, e não os culpo. Eles não querem a imagem deles na TV, se forem fazer parte do júri." Tentando controlar a raiva, emitiu um aviso cabal às equipes de reportagem: ou paravam de filmar os jurados, ou haveria o banimento de câmeras em certas áreas do tribunal.

Antes de a advertência ser testada, tornou-se inútil. Embora metade do júri fora selecionada em apenas dois dias, Heidnik insistiu, por meio de seu advogado, que Abraham aprovasse a mudança na seleção.

Abraham suspirou e cedeu à petição. Três dias e meio de trabalho desperdiçados. Apesar de numerosos pedidos, essa era apenas a terceira vez que uma petição do tipo era concedida na Filadélfia nos últimos oito anos. Abraham definiu a nova seleção de júri para 13 de junho, em Pittsburgh, a quase 500 quilômetros dali, basicamente a maior distância que alguém poderia dirigir a partir da Filadélfia sem sair o estado da Pensilvânia. Naquela data, Peruto, Gallagher e Heidnik novamente começariam a selecionar jurados isentos, dessa vez entre os residentes do condado de Allegheny.

35

PITTSBURGH

13.06.1988

A Câmara Municipal da Filadélfia e o tribunal de Pittsburgh foram construídos na mesma década, e ambos são feitos de granito. E é tudo que têm em comum.

Se a Câmara Municipal parece uma estrutura do centro de Paris, o Tribunal e Prisão do Condado de Allegheny, construído entre 1884 e 1888, lembra construções medievais interioranas. O edifício é dotado de pequenas torres e um torreão, com fachada de pedra em corte rústico e telhado bastante inclinado.

Ao contrário da Câmara Municipal, onde os espaços internos eram abarrotados e sombrios, uma das qualidades da instalação em Pittsburgh é o cativante pátio interno, semioculto, com fontes, árvores verdejantes, bancos confortáveis e arbustos em flor. Ao longo do dia, se o clima permitisse, transeuntes usavam o local banhado pelo sol como santuário, um lugar para escapar da correria da cidade. Nas sextas-feiras, havia concertos ao meio-dia.

Contudo, os visitantes da Filadélfia não tinham ido para conhecer amenidades culturais. Quando a juíza Abraham e sua equipe chegaram, no fim da manhã, foram direto para a sala 315. O juiz Robert E. Dauer, o ocupante usual da sala, tinha abandonado a câmara ensolarada e gentilmente se mudado para um cômodo menor logo ao lado, para a equipe da Filadélfia ficar mais confortável.

Embora tivesse apenas metade do tamanho de seu tribunal na Filadélfia, a sala 315 era muito mais animada. Ela deixava todos bem-humorados. Desde o começo, Abraham estava desconfortável. Ao adentrar o edifício vestida em saia plissada escura e blusa de seda azul-claro com grandes flores, foi recebida não com discrição, como esperava, mas com caos. As luzes das câmeras da TV quase a cegaram e os flashes dos fotógrafos espocavam. "Na Filadélfia foi um circo midiático", resmungou. "Assim que saí do elevador em Pittsburgh, vi que ia passar por aquilo de novo. Só faltou serragem e amendoim para o circo ser completo."

Isso a deixou mal-humorada o dia todo. É claro que criticou a imprensa. Em uma coletiva improvisada, Abraham estabeleceu regras: "Nada de foto dos jurados convocados ou daqueles que escolhermos", ela esbravejou. "Vocês não têm permissão de seguir eles na rua ou de falar com eles. Queremos uma atmosfera calma e digna. Não *permitirei* que interfiram no julgamento." Desobediência, frisou, resultaria em banimento imediato. "Vou manter vocês de fora por tanto tempo que a presença de vocês aqui vai ser totalmente inútil."

Para se fazer clara, convocou um grupo de jurados cujo número correspondia exatamente ao número de assentos disponíveis: 77. Como não havia espaço para membros da imprensa, não puderam entrar. Quando Kurt Heine, do *Philadelphia Daily News*, perguntou se permitiria que um grupo de representantes permanecesse, fez de conta que não ouviu. Quando Fen Montaigne, do *Inquirer*, protestou, ela respondeu zangada: "entre com um processo".

Quando a primeira possível jurada, uma viúva tímida e de meia-idade, mascando chiclete, foi para o assento das testemunhas para o questionamento detalhado, todos na sala estavam empolgados. Mesmo com o ar-condicionado no máximo, e a sala fria o suficiente para servir de freezer, fumaça subia da testa de todos. Abraham ainda estava furiosa com a imprensa, o suficiente para bani-la ao corredor. Peruto estava em chamas porque não gostou da cara dos jurados de Pittsburgh, e a juíza ignorou seu pedido de nova troca de local. Além disso, nenhum jurado parecia empolgado com a possibilidade de passar metade do verão suando na Filadélfia, quando poderia ir para as montanhas ou para a praia. O único que não estava rangendo os dentes — ao menos, não nesse momento — era Gallagher, que se manteve sereno, apesar da turbulência ao seu redor.

A viúva nervosa teve participação breve. Em poucos minutos, foi dispensada por Peruto, que usou sua primeira recusa imotivada. Já que essa era uma nova seleção, tanto ele quanto Gallagher tinham zerado a contagem de recusas. Peruto ainda tinha direito a dezenove. Com expressão confusa, mas aliviada, e mascando o chiclete sessenta vezes por minuto, a mulher rapidamente saiu, sendo substituída, na sequência, pelo pintor de escolas (dispensado por Peruto), o estudante rechonchudo que implorou para ser dispensado por causa das aulas de verão (dispensado por esse motivo), o inspetor de drenagem com problemas de audição (dispensado), a enfermeira que hesitou ao ser questionada se concordava com a pena de morte (dispensada por Gallagher) e o sujeito que tinha abandonado a escola no nono ano e falou que, em sua opinião, toda pessoa condenada por homicídio doloso deveria automaticamente ser mandada para a cadeira elétrica.

Apenas a sétima candidata da tarde satisfez às exigências de Peruto e Gallagher. Surpreendentemente, era bastante articulada, enfermeira, casada com um policial fazia 22 anos. A princípio, isso preocupou um pouco Peruto. Inclinando a cadeira para trás e esfregando a barba com a mão esquerda, formulou a pergunta com cuidado: "Se um policial diz que algo é vermelho, e alguém diz que é azul, você acredita que é vermelho só porque o policial falou?".

"Sem chance", respondeu. "Conheço policiais muito bem."

A resposta fez a imprensa rir, agora que finalmente tinha sido permitida de entrar no tribunal. Diante disso, a juíza Abraham fez nova advertência: "Não estamos aqui para dar risada", alertou.

Por um momento, parecia que a enfermeira tinha sido considerada uma jurada indesejável. Foi quando admitiu que sua opinião poderia ser influenciada por amigos ou pela mídia. Contudo, Abraham virou o jogo ao fazê-la se comprometer a ver a situação por si mesma.

Embora mais oito jurados tivessem sido questionados antes de Abraham encerrar, pouco depois das 16h, uma hora antes do normal, apenas mais dois foram selecionados. O primeiro era um soldador taciturno, com corte de cabelo tipo Elvis, que, envergonhado, admitiu ter sido detido dez anos antes e multado em 37 dólares por ter iniciado uma briga de bar. A outra jurada era auxiliar de ensino fundamental eloquente — mãe de três pré-adolescentes e casada com um gerente de marketing.

Aqueles que não foram selecionados, no entanto, eram tão notáveis quanto os que foram. Entre os rejeitados, estavam o policial confiante, casado com uma enfermeira, o engenheiro elétrico indeciso e duas mulheres negras — uma era secretária de processamento de dados; e a outra, com nível universitário, era guia de viagens numa agência. Ambas foram recusadas por Peruto, que, no fim das contas, tinha usado sete recusas imotivadas, mais de um terço do total. E apenas um quarto do júri foi escolhido. Gallagher, por sua vez, tinha usado apenas uma de suas recusas. Os demais foram dispensados por Abraham.

Pelo ritmo em que usava as recusas imotivadas, a situação não parecia boa para Peruto. "Quero voltar pra Filadélfia", resmungou enojado, apertando com raiva o botão do elevador. Apesar de ter questionado quinze jurados, apenas três tinham sido escolhidos. E em uma cidade onde os jurados supostamente não tinham sido expostos à cobertura do caso. No fim do primeiro dia, a proporção de jurados escolhidos tinha sido bem mais baixa do que na Filadélfia, onde quatro membros do júri foram escolhidos entre os sete, em meio à agitação inicial.

Para quase todo mundo, 13 de junho foi uma segunda-feira frustrante. Todos, exceto Heidnik. Dentre todos os presentes, era o único que parecia estar se divertindo. Vestido com uma calça diferente, porém com a camisa havaiana de sempre, ele estava alerta atrás da mesa da defesa, com os olhos cinzentos brilhando e se movendo ansiosamente. Enquanto Gallagher recitava sua ladainha de perguntas típicas — apenas os fatos, senhora, nada além dos fatos —, Heidnik se balançava para a frente e para trás na cadeira estofada, uma mudança em relação às cadeiras de madeira da Filadélfia. Ele riu por duas vezes e, em diversos momentos, mergulhou em discussões profundas e enérgicas com Peruto. Quando chegou a hora de voltar para a cela à noite, até se esqueceu de arrastar os pés.

36

JURADOS

14.06.1988

Na Pensilvânia era Dia da Bandeira, um feriado estadual, exceto na sala 315 do tribunal de Allegheny. A juíza Lynne Abraham, em Pittsburgh para selecionar o júri, e não para curtir sua estada no quarto de hotel, determinou que seria um dia útil. E, no fim das contas, seria uma data espetacularmente bem-sucedida. Em menos de quatro horas e meia, talvez um recorde, Gallagher e Peruto confirmaram nove jurados e seis suplentes, completando o júri. Dos 77 jurados convocados, apenas dois restavam. Até mesmo Peruto estava feliz, o que era uma surpresa, considerando que havia pedido à juíza Abraham nova mudança de local.

"Você só pode estar brincando", ela respondeu quando Peruto apresentou a petição. Ele não estava, e muito menos ela. "Não acredito que a Suprema Corte da Pensilvânia vá atender a outro pedido de mudança do júri. Fim de papo", ela acrescentou, encerrando a discussão.

Apesar das dúvidas de Peruto, a primeira jurada analisada — a cabeleireira de penteado curto e cacheado — foi aprovada em minutos. Foi como se uma represa se abrisse. Por volta do horário do almoço, mais seis jurados já tinham sido escolhidos, incluindo o pesquisador químico visivelmente irritado por ter de deixar de lado seu emprego na PPG[1] para ir à Filadélfia deliberar sobre um caso de assassinato. Ele disse que a empresa teria grande dificuldade em continuar sem sua presença. Isso poderia ser confirmado, segundo ele, por só haver tirado três dias de férias nos últimos cinco anos.

"A PPG é uma empresa bem grande. O que ela faria se você adoecesse?", a juíza Abraham perguntou.

"Ela não conseguiria cumprir os prazos", o químico respondeu.

"Não seria o fim do mundo", Abraham respondeu.

No entanto, o químico não desistiu. Ele disse que sua ausência resultaria no prejuízo de "milhões de dólares".

A juíza Abraham estava perdendo a paciência.

"O dinheiro não seria seu", disse, irritada.

"Depende, porque sou acionista", ele respondeu.

Bastou para Abraham.

"Uma pequena inconveniência para seu empregador não o isenta de sua obrigação. Sinto muito", Abraham disse, sem que a voz ou semblante, na verdade, demonstrasse qualquer sentimento, "mas aqui tratamos do dever do júri".

Gallagher se pôs de pé, ajeitando o casaco. "Meritíssima, a promotoria aceita o jurado."

Abraham olhou para Peruto, que teria a última palavra a respeito da escolha do jurado. "A defesa aceita", disse, para em seguida girar de forma rápida sua cadeira, ficando de costas para a tribuna. Seu rosto estava vermelho como um tomate, esforçando-se para conter o riso.

Quando saiu da sala, o químico parecia estar prestes a chorar de frustração.

"Caramba, ele estava bravo mesmo", Peruto brincou mais tarde. "Só espero que ele culpe a promotoria."

Alguns minutos depois, outro jurado, um homem casado havia 37 anos, ficou contente em saber que iria à Filadélfia para participar do julgamento.

---

1 [NT] Pittsburgh Plate Glass Company, empresa mundialmente conhecida no segmento de vidros e tintas.

"Posso levar minha esposa?", perguntou, inocentemente. Depois, olhou para Abraham, cabisbaixo. Ela explicou que ele ficaria isolado e impossibilitado de vê-la.

Os dois últimos jurados foram selecionados um após o outro pouco depois do intervalo do almoço. Quando o último membro, o funcionário da Previdência Social do estado, de quase 60 anos, foi selecionado após poucas perguntas, Heidnik deu um grande sorriso para Peruto. Era um júri só de pessoas brancas, e Peruto ainda tinha metade de suas recusas imotivadas.

Apesar de constituído só por pessoas brancas, o júri impressionava pela diversidade. Foram selecionados para decidir o destino de Heidnik seis homens e seis mulheres com idades que iam de 20 e poucos a 60 e muitos anos. O grupo incluía uma solteira e uma divorciada com três filhos adultos, até um advogado. Havia a cabeleireira, o operador de pedágio, o funcionário da previdência social, o operador de draga, o químico e o sujeito com ensino superior. Um dos homens tinha seu próprio negócio. Outro era profissional de enfermagem; e outro, casado com uma enfermeira. Dentre as juradas, exceto uma, todas trabalhavam fora de casa. Se havia algum elemento em comum entre todos, parecia ser a ascendência. Cinco tinham sobrenomes italianos.

Um repórter, observando que os descendentes italianos poderiam ser mais conservadores e, portanto, inclinados a punir Heidnik com rigor, perguntou a Peruto por que ele não utilizou suas recusas para montar um júri mais liberal.

Peruto já esperava por essa. "Eles ainda não sabem", brincou, "mas meu pai é presidente da Filhos e Filhas Italianos da América[2]."

---

2   [NT] Sociedade fraternal ítalo-americana fundada
    por imigrantes na década de 1930, em Pittsburgh.

Com o Tribunal do Júri formado, só havia uma coisa a fazer antes do início do julgamento: negociar que tipo de prova cada lado poderia apresentar e as balizas para inquirição de testemunhas.

A juíza Abraham já tinha deixado claro que planejava manter as rédeas curtas. Quando Peruto mencionou que o julgamento poderia demorar entre três e cinco semanas, Abraham se meteu. "Sem chance", repetiu mais de uma vez. "O julgamento *não vai* demorar tanto tempo. Duas a três semanas, no máximo."

Para ter certeza de que todos entendiam as regras básicas, Abraham agendou uma audiência na Filadélfia numa quinta-feira, 16 de junho, para dar a Peruto e Gallagher a chance de resolver essas questões com antecedência, sem desperdiçar tempo valioso de julgamento.

Peruto tinha intenção de apresentar um testemunho que vinculasse o tratamento de Heidnik no hospital militar a experimentos do Exército com LSD e outros alucinógenos. Ou seja, pretendia criar um liame entre a internação e os experimentos com LSD, sugerindo que Heidnik foi cobaia de testes com drogas e, assim, esses experimentos fritaram seu cérebro irremediavelmente.

O problema era que a juíza Abraham não estava nada convencida disso. Ela queria saber se Peruto iria mesmo tentar essa abordagem.

"Sim, vou", Peruto respondeu. "Se meu cliente fosse testemunhar, diria que foi para um hospital do Exército onde eram realizados experimentos com LSD. Diria que foi até lá por causa de um problema estomacal, mas lhe deram algo que provocou uma internação de três ou quatro dias."

"Isso não prova nada", Abraham disse.

"O Exército disse que daria uma pensão integral", Peruto insistiu, "mas o advogado dele impediu. Ele não queria dar baixa. Ele não sabia, até que relatórios foram publicados nos anos 1970, que tinha sido cobaia."

Abraham disse que, até aquele momento, tudo que Peruto tinha mencionado era mera especulação e que não era o suficiente para introduzir o tópico.

Era difícil encontrar provas, Peruto admitiu.

"Você acredita que o sr. Heidnik era 100% mentalmente estável quando entrou para o Exército?", Abraham perguntou.

"Ele tinha seus problemas", Peruto confessou. "Era psicótico. Não era perfeito. Mas isso também o tornava a cobaia perfeita."

"Existe uma grande diferença entre ser a cobaia perfeita e ter sido usado como cobaia", Abraham comentou.

Peruto argumentou que outras coisas tinham de ser consideradas também, como o desejo do Exército de que Heidnik tivesse baixa com pensão integral. "Apenas uma a cada 18 mil pessoas que dão entrada no processo de invalidez por problemas mentais consegue o valor integral", Peruto disse. "E apenas uma a cada 79 mil recebem pela vida toda. O meu cliente é beneficiário vitalício. E ele nem queria; ele não requisitou isso."

A juíza não parecia impressionada: "Ainda não vi nenhum indício de prova válida demonstrando que seu cliente foi submetido a experimentação com LSD. Você não pode usar como fator atenuante sem uma prova válida. Seria relevante, mas você não tem provas para sustentar a tese".

"Se quer saber se tenho alguém capaz de testemunhar que viu meu cliente tomar LSD, a resposta é não", disse Peruto.

"Tudo que mencionou até agora foram ilações, não provas", disse Abraham. "Eu permitirei o tópico se trouxer alguém que confirme, mas, pelo que ouvi até agora, você não tem ninguém."

"É um quadro que indica uma ligação muito clara entre os eventos", Peruto insistiu, não querendo se dar por vencido.

"Não vou permitir qualquer especulação", Abraham repetiu. "Nada de palpites. Se você tiver qualquer indício de prova relativa ao experimento com LSD, pode apresentar. Mas, pelo que você me disse, são só teorias."

No fim, Peruto teve que abandonar a tática. Ele não podia cobrir a aposta.

Havia mais uma coisa que Abraham queria esclarecer antes do julgamento começar: a questão do júri 100% branco. Antes de ir para Pittsburgh, comprometeu-se a não permitir um júri formado apenas por brancos, porém, após ver a composição racial dos jurados do condado de Allegheny, abrandou a posição inicial. "O grupo de jurados convocados tinha bem menos pessoas negras do que estamos acostumados a ver na Filadélfia", ela concedeu. "Não sei se a composição racial do júri vai ser um problema. Só o tempo dirá. No fim das contas, não se trata de quem está no júri, mas de como foi o processo de escolha."

Ela admitiu que ainda não estava confortável com o resultado, mas não planejava anular o júri por completo.

"Este é um caso racial", Peruto acrescentou. "Mas, por favor, perceba que excluí mais pessoas brancas do que negras."

"Eu percebi", a juíza respondeu. "Pode não ser problema. Não estou culpando você, só quero que saibam que não passou despercebido."

"Não é apenas por praticar atos bizarros
que a lei vai considerar uma pessoa insana."
— Charles Gallagher, promotor público.

Melhor reinar do que

no inferno
servir no Céu.

— *Paraíso Perdido*,
John Milton

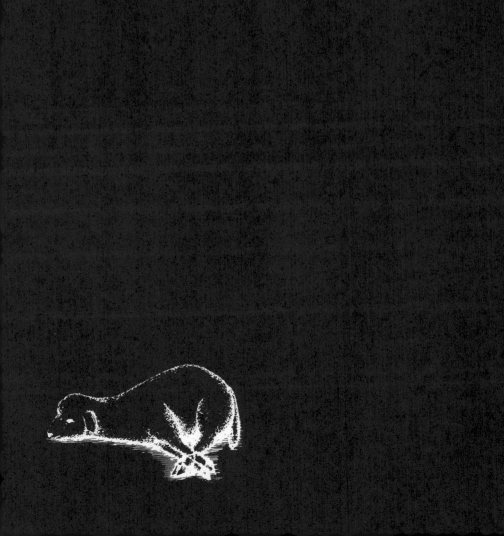

37

SUOR

20.06.1988

Chuck Peruto se considera honesto. Também se considera um advogado de defesa habilidoso. Não que as duas categorias sejam mutuamente excludentes, mas, no primeiro dia, percebeu a oportunidade de desempenhar ambas e se agarrou a ela.

Quando chegou à sala 653 na Câmara Municipal da Filadélfia — com a camisa perfeitamente engomada já enrugando, devido ao calor e à umidade que faziam na cidade e começavam a invadir a sala do tribunal —, ele só fazia uma vaga ideia do que dizer em suas primeiras alegações. Mas, sentado lá, ouvindo Charles Gallagher delinear como pretendia provar que Heidnik tinha assassinado, estuprado, sequestrado e agredido, além de toda a lista de atos horrendos, seis mulheres entre 18 e 25 anos, teve uma ideia. Era arriscada, pensou, mas poderia valer a pena. "Que diabo", pensou, "o que meu cliente tem a perder?"

Gallagher, com tranquilidade, apesar do calor, fez a denúncia, apresentando o libelo e os pontos que iria provar, em tom monótono e tedioso. Ele não precisou recorrer a qualquer drama para conseguir a atenção do júri. Era a primeira vez que os moradores de Pittsburgh ouviam questões específicas do caso, e isso os deixou com os olhos arregalados. Gallagher contou coisas que iam além de seus piores pesadelos. Histórias de filme de terror. Gallagher nem precisou exagerar:

"Gary Heidnik levou essas mulheres para casa", Gallagher começou. "Ele as atraiu com comida e, em alguns casos, sexo. Ele as agrediu. Ele as estrangulou. Ele as algemou, as levou para o porão, onde acorrentou os tornozelos."

Quando Gallagher ficava nervoso, mexia na aba do bolso do paletó, ou puxava a parte de trás. Ele demonstrava esses dois cacoetes diante do júri.

"Heidnik as deixava famintas", continuou, a voz constante, direta. Sua mão esquerda sumiu brevemente dentro do bolso do terno, depois a pôs para fora e ajeitou a aba do bolso. "Torturava-as. Repetidas vezes fez sexo com elas. "Durante o tempo que estiveram no cativeiro", acrescentou, "duas foram mortas, e o corpo de uma foi desmembrado, cozido e servido para as outras comerem." Alguns jurados ficaram pálidos. Um espectador gemeu alto.

"Vou parar por aqui", pensou. Não precisava exagerar. Assim que começasse a chamar as testemunhas, os depoimentos falariam por si. Mas ainda não tinha terminado. Não pretendia mencionar a pena de morte logo de cara, no entanto, precisava fazê-los refletir a respeito da tese do homicídio doloso. Sentiu que deveria fazê-los pensar sobre o estado mental de Heidnik. Seu objetivo era demolir a tese de insanidade de Peruto antes mesmo de ser apresentada.

"Será demonstrado com provas que, do Dia de Ação de Graças de 1986 até 25 de março de 1987, o réu cometeu repetidas vezes atos sádicos e maldosos", Gallagher disse, fuçando na barra do terno. "Fez de modo metódico e sistemático, bem como ocultou de modo metódico e sistemático. Sabia exatamente o que estava fazendo e sabia que era errado. Ele se aproveitou de pessoas vulneráveis."

Gallagher espichou o terno a última vez e voltou para a cadeira. A exposição da denúncia durou apenas doze minutos.

Por alguns bons minutos, Peruto permaneceu sentado, imóvel — tudo pelo efeito, pelo teatro.

"Você não é obrigado a fazer a apresentação inicial da defesa", a juíza Abraham declarou. "Você pode deixar para mais adiante, ou até mesmo não fazer."

"Não", disse Peruto, levantando-se. "Quero prosseguir." Ele caminhou rapidamente até o júri, debruçou-se sobre o corrimão, buscando contato visual entre os dezoito residentes do condado de Allegheny; muitos aparentavam estar em choque, graças ao que Gallagher tinha lhes contado.

"A juíza disse algo nesta manhã sobre as pessoas serem inocentes até que se prove o contrário", Peruto começou, após decidir pela estratégia mais arrojada. "Meu cliente não é inocente", disse. Fez uma pausa. "Ele é muito, muito culpado." Fez outra pausa, essa um pouco mais longa.

Não era aquilo que queria dizer, admitiria depois; contudo, parecia ser a coisa *certa* a dizer no momento. Antes de o julgamento começar, ele tinha proposto um acordo em que Heidnik poderia ser acusado de qualquer coisa, menos homicídio doloso. Porém, o promotor não tinha a intenção de barganhar; ele queria a pena de morte. Peruto estava resoluto em impedir essa sentença.

No mesmo momento em que falava da culpa de seu cliente, se questionava sobre o que tinha feito. Mas, após ouvir Gallagher, sabia que não conseguiria refutar as acusações. Ele disse a si mesmo que tinha de ser honesto. O cliente dele *era* culpado. Praticou tudo de que era acusado pelo Estado. Exceto uma coisa. Precisava convencer o júri de que Heidnik não agira com dolo de matar as duas mulheres que morreram no porão. Se conseguisse, não seria homicídio doloso. Heidnik escaparia da cadeira elétrica. O melhor que podia fazer, Peruto sentiu, era plantar uma semente no júri, dar a eles um motivo para começarem a pensar que um sujeito que fez tudo que Heidnik era acusado de ter feito não poderia ser são. Essa era sua única esperança.

"Não há mistério aqui", Peruto continuou. "É uma história de detetive. Se todos tivéssemos que decidir apenas quem fez o quê, seria fácil."

Gallagher havia prometido que construiria um caminho de provas que conduziria à porta de Heidnik. Peruto argumentou que não pararia por aí, pois daria um passo adiante. Abriria a porta para exibir o homem que morava lá.

"Vocês não estão aqui para determinar se Gary Heidnik vai sair daqui livre", Peruto continuou. "Ele nunca mais vai ver a luz do dia. Vai ficar atrás das grades em alguma instituição mental. Qualquer pessoa que mistura comida de cachorro com restos humanos num processador, chama de 'refeição gourmet' e dá pra outra pessoa comer é doida de pedra."

Essa foi inspirada, pensou Peruto, congratulando a si mesmo. Ninguém discordaria, muito menos os jurados.

E, a partir desse ponto, mudou de direção. Começou insinuando que deveriam considerar Heidnik mais como vítima, e não tanto como um assassino de sangue frio. Quando a hora chegasse, planejava apresentar testemunhos psiquiátricos mostrando que sinais claros da esquizofrenia de Heidnik já existiam havia tempo, mas ninguém se deu ao trabalho de interpretá-los.

Não era como se nunca tivesse visto um psiquiatra antes, ou jamais houvesse recebido tratamento, Peruto falou. "Ele foi hospitalizado vinte e tantas vezes." Todos os psiquiatras, após examiná-lo, alertavam o perigo que ele representava. Alguns afirmaram se tratar de uma bomba prestes a explodir. Ele estava tão fora da realidade, Peruto disse, que já não era capaz de diferenciar certo de errado.

"Vocês precisam manter a mente aberta", avisou, assentando as bases para sua alegação de insanidade. "O dr. McKenzie vai testemunhar que Gary Heidnik sofreu de doenças mentais por tantos anos que não conseguia mais distinguir certo e errado. O dr. Kool vai dizer a mesma coisa. Na verdade, vocês não vão ouvir ninguém com opinião diferente."

Peruto sentia que era hora de parar, de calar a boca e se sentar. "Peço que entendam duas coisas", frisou. "Primeiro, Gary Heidnik não queria que ninguém morresse. E, segundo, devido à doença mental, não conseguia diferenciar certo e errado."

Sua exposição levou apenas nove minutos, três a menos que a de Gallagher.

Não era surpresa que estivesse suado. E também Gallagher. Todos estavam, a bem da verdade. Do lado de fora, os termômetros rumavam para a casa dos 35ºC. Lá dentro, o ar-condicionado estava quebrado. Prometia ser um longo julgamento.

38
TESTEMUNHAS

20.06.1988

Foi difícil — talvez a coisa mais difícil que Jeanette Perkins tenha feito na vida. Sentada no assento das testemunhas, falava da filha morta ao mesmo tempo em que olhava para o assassino. Ela queria tanto chorar, ou gritar, ou pular e estapear o rosto dele. Mas não podia. O que dava para fazer era responder às perguntas e rezar pela condenação daquele homem. Como se ele desse importância. Ele nem mesmo olhava para ela. Até onde ela conseguia perceber, Gary Heidnik parecia ser de outro planeta. Ficava sentado lá, olhando para a frente, encarando o nada, sem falar nada, talvez até mesmo não ouvindo nada.

Perkins, a primeira testemunha de Gallagher, tentou ignorar Heidnik e se esquecer da presença dele. Em vez disso, se concentrou no júri, em contar o que aconteceu para aqueles dezoito homens e mulheres sentados a poucos metros, à esquerda dela, que, ao contrário de Heidnik, prestavam muita atenção ao que ela dizia.

Mulher de meia-idade, de aparência agradável, de vestido branco com listras azuis, Perkins se inclinava um pouco para a frente para chegar mais perto do microfone. Com voz calma e suave, que não indicava em nada seu estado emocional, contou ao júri que a filha mentalmente deficiente, Sandra Lindsay, lhe disse, no sábado após o Dia de Ação de Graças de 1986, que estava indo à loja da esquina comprar um analgésico para as cólicas menstruais. Ela nunca mais voltou.

Perkins relatou que, na segunda-feira, estava começando a ficar preocupada de verdade. "Não era normal ela ficar tanto tempo fora sem ligar", explicou. Num primeiro momento, foi até o Instituto Elwyn, local que sua filha frequentava. Quando não a encontrou lá, procurou a polícia para relatar o desaparecimento. Depois disso, procurou o homem com quem Sandra vinha saindo: Tony Brown.

Brown também não a tinha visto, mas sugeriu que Perkins tentasse a "casa do Gary", no número 3.520 da rua Marshall. Ela foi. "Eu fui lá com duas primas minhas e a gente bateu na porta. A música tava alta pra valer, mas ninguém atendeu. Voltamos às sete e meia, e ninguém atendeu de novo."

Exatamente uma semana depois de Sandra desaparecer, Perkins disse, ela recebeu um bilhete escrito com a letra da filha. Tinha sido enviado no dia anterior de Nova York. Alguns dias depois, recebeu um cartão de Natal de Sandra, também postado em Nova York.

Apesar da correspondência, ela não conseguia se livrar da sensação de que era um embuste; era muito atípico para a filha. A outra filha dela foi com os primos diversas vezes até o endereço na rua Marshall, mas ninguém nunca atendeu à porta. Quando se deu conta, a polícia estava batendo à porta de sua casa, contando que as partes do corpo achadas em um freezer na rua Marshall, 3.520, provavelmente pertenciam a Sandra.

Peruto não fez perguntas. Mais tarde, quando Perkins foi cercada por repórteres no corredor, ela falou que a polícia deveria ter feito mais. Dessa vez, enquanto falava, as lágrimas escorreram.

O advogado de defesa pode ter sido bondoso com Perkins, ao declinar de interrogá-la, no entanto, não via motivos para ser gentil com a segunda testemunha de Gallagher, o sargento da polícia Julius Armstrong, um policial negro e esbelto responsável pela queixa registrada por Perkins.

Durante o interrogatório, Armstrong, um veterano com dezessete anos de polícia, explicou que também tinha visitado a casa na rua Marshall. Do mesmo modo que Perkins, também não obteve resposta quando bateu à porta, e ninguém atendeu ao telefone quando ligou. Falou com Tony Brown e conseguiu o sobrenome de Gary. Brown soletrou errado, porém Armstrong admitiu que não chegou a conferir a informação. Quando digitou no sistema da polícia o nome que Brown lhe passou, não encontrou nenhum resultado. Por isso, quando Perkins contou sobre o bilhete e o cartão, ficou mais tranquilo. Reconheceu que, a partir desse momento, não deu tanta atenção à busca.

"Você sabia o nome e tinha o endereço?", Peruto perguntou.

"Sim", respondeu Armstrong.

"Você alguma vez conferiu os registros de impostos, ou as contas de água, luz e gás, para descobrir o sobrenome de Gary?

"Não."

"Tony Brown é um pouco lento, não é?"

"Ele pareceu normal para mim."

"Você foi até alguma casa vizinha perguntar se alguém tinha visto Sandra?"

"Não", Armstrong disse, acrescentando rápido, "eu estava satisfeito com o fato de ela estar segura depois que recebemos a carta de Nova York."

Peruto olhou para ele enojado e sentou-se na cadeira. "Sem mais perguntas."

A terceira testemunha de Gallagher era sua estrela: Josefina Rivera.

Ela caminhou de modo rápido e orgulhoso até a tribuna, com a cabeça erguida. Ao fazer o juramento com a mão sobre a Bíblia, olhava direto para Heidnik. Ele a olhou rapidamente, para depois ignorá-la, assim como fez com Perkins e Armstrong. A bem da verdade, ele agiu assim em relação a quase todas as pessoas chamadas a testemunhar.

Entre as quatro sobreviventes, Rivera seria a mais articulada. Com voz baixa e calma, a magra ex-prostituta, de vestido da moda decorado com grandes flores azuis e peruca volumosa, descreveu sua captura, aprisionamento e as indignidades a que foi forçada a praticar.

O tribunal estava lotado, mas não havia conversa nem cochicho. Nas partes mais sangrentas do depoimento, alguns dos espectadores chegaram a gemer, mas a juíza Abraham tinha avisado enfaticamente sobre qualquer manifestação. "Se alguém interromper, será recolhido e preso", avisou. "Não vou permitir qualquer rompante, independentemente se o depoimento for muito triste ou bizarro."

Em seu primeiro dia de prisioneira, contou que escutou, espantada, Heidnik descrever como planejava trazer outras mulheres para o porão a fim de engravidá-las e iniciar uma colônia.

"Por que ele disse que queria fazer isso?", Gallagher perguntou, inocente. Na verdade, tratava-se de pergunta ardilosa. Estava consciente, mesmo que o júri não, de que a resposta abriria uma porta, revelando os antecedentes criminais de Heidnik. Caso não conseguisse introduzir o tópico através de Rivera, talvez nem conseguisse mencionar o assunto, que era, por natureza, prejudicial a Heidnik. O fato de que tinha planejado foi discutido mais cedo, naquele dia, sem a presença do júri. Peruto se opôs com firmeza, mas a juíza Abraham disse concordar, desde que Gallagher conseguisse introduzir o tópico por meio de Rivera. Foi a primeira das decisões de Abraham que favoreceria de forma inequívoca a acusação. Mas não seria a última.

Rivera contou que Heidnik era obcecado por crianças, pois, ao tentar ajudar a irmã da mulher com quem estava vivendo, Anjeanette Davidson, foi mandado para prisão. Por conta disso, a filha que tiveram foi enviada a um lar adotivo.

"Ele disse que ficou fora por cinco anos e, quando voltou, não conseguiu encontrar Anjeanette e sentiu que tinha sido privado da família dele. Era como se a sociedade devesse a ele uma esposa e uma família."

Diversos jurados pareceram surpresos quando a ficha criminal de Heidnik foi revelada. Abraham interrompeu. "Não tentem interpretar", ela disse ao júri, deixando a frase no ar. Mais tarde, com outras testemunhas, ouviriam muito mais sobre o crime e sobre os antecedentes de Heidnik.

Sem perder o ritmo, Rivera continuou a história. Contou como as outras — Sandra Lindsay, Lisa Thomas, Deborah Dudley, Jacqueline Askins e Agnes Adams — foram trazidas, uma a uma, e os abusos e maus-tratos que sofreram.

"O que ele dava para você comer?"

Rivera deu de ombros. "Bolachas de água e sal... aveia... arroz... salsichas... às vezes, waffles... frango... pão... água... chocolate quente. Normalmente, a gente comia de manhã cedo e tarde da noite."

"E ele comentou algo sobre Lindsay ter um bebê?"

"Ele disse que Sandra tinha prometido ter um bebê dele, mas que ela sempre desistia e, dessa vez, ela não teria escolha."

"O que vocês faziam para passar o tempo?", Gallagher quis saber.

"Quase nada", respondeu com a voz calma, "além de fazer sexo e ficar no buraco. Teve três vezes em que a gente tava lá no buraco e ficou sem ar, não dava pra respirar. A gente gritou, berrou, e aí Gary desceu e surrou a gente... a gente não tomava banho nem lavava o cabelo. Só tinha lenços umedecidos... A música ficava ligada vinte e quatro horas por dia."

A situação da higiene melhorou depois do Natal, mencionou. "A partir dali, todas tinham um dia do banho. Ele soltava as correntes do cano de esgoto e levava a gente pra cima, botava na banheira com as correntes e tudo e, depois, levava pra um quartinho pra transar."

No fim de janeiro, quando havia cinco prisioneiras, começaram a tramar meios de subjugar Heidnik e escapar, disse Rivera. "A gente tinha uma fuga planejada para 29 de janeiro, mas não deu certo. Gary ouviu a gente."

39

PERUCA

20.06.1988

Por mais de três horas, Josefina Rivera soterrou Gary Heidnik numa enorme quantidade de detalhes, sobretudo das mortes de Sandra Lindsay e Deborah Dudley.

"Ele mantinha Sandra à base de pão e água e ele a mantinha presa com um braço pra cima. Ela estava vomitando e dizia que não estava bem. Ela desmaiou uma vez... e eu pedi pra Lisa ir lá e fazer ela ficar de pé. Sandra aguentou uns vinte ou trinta minutos, mas aí despencou... Gary desceu, soltou a algema e o corpo dela desabou no chão... Aí chutou ela até o buraco, botou ela lá e disse que ela tinha morrido."

"O que aconteceu depois disso?", Gallagher perguntou.

"Gary carregou ela pro andar de cima e a gente ouviu a serra elétrica. E, depois, sentiu um cheiro horrível. Ele ficou com esse cheiro e a comida que trouxe pra gente também."

"Ele fez sexo com alguém naquela noite?"

"Não."

"E no dia seguinte?"

"Sim, com Lisa e Askins."

Rivera disse que Heidnik parou de bater nela no começo de janeiro, aparentemente porque sentiu que poderia confiar nela. Além disso, continuou, ele passou a ter problemas constantes com Dudley, o que ocupava a maior parte de seu tempo.

"Ele sempre teve problema com a Debbie... Debbie nunca deixava barato."

Não muito depois da morte de Lindsay, Heidnik levou Dudley para cima em uma missão misteriosa.

"Em uns cinco minutos, ela voltou", Rivera disse. "Ela estava bem quieta."

Finalmente, Dudley contou às outras o que tinha acontecido. Rivera se lembrava do que ela contou: "Ele me mostrou a cabeça da Sandra cozinhando numa panela, as costelas dela estavam numa forma no fogão, e as pernas e os braços no freezer". Heidnik falou a Dudley que, caso continuasse se rebelando, teria o mesmo destino de Lindsay. Um mês e meio depois, Dudley morreu.

"Todas começaram a ser castigadas no começo de março", Rivera relembrou. "A gente estava comendo ração de cachorro misturada com partes do corpo." Em alguns dias, as punições foram ficando mais severas. Segundo o relato de Rivera, por fim, Heidnik encheu o buraco com água e colocou Thomas, Askins e Dudley dentro. Feito isso, começou a dar choques nas três com uma extensão de luz desencapada, que encostou na corrente de aço que prendia Dudley. Quando ela tombou, Heidnik achou que era fingimento. "Ele disse, 'Ela não pode ter morrido'. Aí foi até ela, olhou e falou, 'Ela morreu'."

Rivera declarou que, depois disso, Heidnik começou a confiar nela, porque a fez assinar uma carta em que assumia ser corresponsável pela morte de Dudley.

Em 24 de março, após prometer que encontraria outra mulher para ele, Rivera conseguiu sair sozinha. Aproveitou e foi até a polícia.

"Até esse momento", Gallagher perguntou, "você tinha tido alguma chance de fugir?"

"Não."

"O que ele dizia que ia acontecer?"

"Ele disse que mataria as outras garotas."

Embora fosse quase fim da tarde, Peruto estava ansioso para fazer suas perguntas. Caso fosse capaz de sacudir Rivera, sua percepção era que talvez pudesse plantar aquela semente de dúvida na mente dos jurados. Na audiência de custódia, na primavera de 1987, tentou provar que Rivera desempenhou um papel muito maior no que aconteceu às outras mulheres do que havia admitido. Essa era sua segunda chance de tentar fazê-la ceder sob pressão.

"Por que ele disse que tinha aprisionado vocês?", Peruto perguntou.

"Ele queria ter filhos", Rivera respondeu. Adotou um tom diferente do usado para responder Gallagher. A voz continuava impessoal, mas agora revestida por verniz pesado de hostilidade.

"Por que ele escolheu o porão?"

"Ele disse que não queria do jeito convencional porque o Estado sempre tirava as crianças dele."

Peruto tentava provar sua tese; pretendia demonstrar como Heidnik era desequilibrado. "Quantas mulheres ele disse que queria, e quantos bebês?"

"Ele queria que dez mulheres tivessem dez filhos, todos no porão."

"Ele caminhava, falava e agia assim, mas o que ele fazia não era exatamente o que você faria, certo?"

"Sim."

Peruto fez um longo silêncio no qual ele e Rivera se encararam.

"Antes de ir até a polícia, você foi até seu namorado, não é?"

"Sim."

"O que você contou a ele?"

"Que tinha sido mantida presa por quatro meses."

"E tinha mais alguma coisa por trás?"

"Não."

"Seu namorado é seu cafetão, não é?"

"Não", Rivera respondeu com irritação. "Nunca trabalhei para ninguém a não ser para mim mesma."

"Você está ciente de que está sendo processada pelas outras vítimas por causa de sua conexão com Heidnik?"

"Não."

"Você está usando uma peruca hoje?"

Isso abalou Rivera. "Sim", ela gaguejou.

Por mais que tentasse, Peruto não conseguia espaço. A certa altura, tentou arrancar uma confissão de que, em conluio com o namorado, Vincent Nelson, planejaram roubar Heidnik antes de ligar para a polícia. Ela negou.

"Você recebeu informações da mídia?", Peruto perguntou, tentando mostrar que ela usava o noticiário para aumentar sua história.

"Eu estava lá", respondeu de pronto. "Não preciso ler nos jornais."

Embora tenha conseguido que ela admitisse haver momentos em que Heidnik não a vigiava e que, portanto, poderia ter fugido, Rivera declarou que, se tivesse escapado, sua fuga seria descontada nas outras. O plano era, segundo relatou, ganhar a confiança de Heidnik e aguardar até que pudesse agir sem pôr em risco as outras e a si mesma.

Peruto ficou sentado em silêncio, procurando nova linha de ataque: "É correto afirmar que gostaria de ver o réu condenado por homicídio doloso?".

Rivera lançou um olhar venenoso para Heidnik. "Isso mesmo", rebateu.

A juíza Abraham anunciou uma pausa. Tinha sido um dia longo, ela disse, e o tribunal parecia uma sauna. Peruto poderia concluir o interrogatório na terça-feira. Todos teriam uma chance de esfriar a cabeça.

40

REPÓRTERES

21.06.1988

O período para se refrescar não deu certo, nem para o clima, nem para os participantes. Estava ainda mais quente na terça-feira do que no dia anterior, tão quente que a primeira coisa que a juíza Abraham fez foi tirar a toga e convidar os juristas a tirarem o paletó. Peruto tirou; Gallagher não. Os jurados já tinham se antecipado. Quando apareceram, a maioria dos homens tinha abandonado as gravatas em favor de camisas polo, e as mulheres tinham se livrado dos paletós e usavam vestidos de verão. Era hora de trabalhar.

A batalha entre Peruto e Rivera não foi menos amarga do que na terça-feira, mas dessa vez ela foi mais breve. Em vez do vestido, Rivera vestia blusa branca, calça roxa e uma peruca menos ostensiva. Era a única indicação de que Peruto conseguira afetá-la. Ela não abandonou em nada a postura hostil em relação à defesa.

Novamente, Peruto não conseguiu fazer com que ela admitisse ser cúmplice, nem produzir uma contradição ao seu depoimento na audiência de custódia em 1987. Após uns dez minutos, desistiu e a devolveu a Gallagher, para que prosseguisse.

O promotor tinha mais três pontos a examinar antes de dispensá-la, questões que considerava capazes de provar que Heidnik estava consciente de seus atos enquanto mantinha as mulheres aprisionadas.

- Perguntou a Rivera qual foi a primeira coisa que Heidnik fez quando voltou para a Filadélfia, após descartar o corpo de Dudley em New Jersey.

  "Ele parou pra comprar o *Inquirer* pra ver se falavam dele", Rivera disse.
- Perguntou por que Heidnik tinha parado para pegar outra mulher antes de buscar o Rolls-Royce no conserto, e por que levou ela para jogar videogame com eles.

  "Como era uma amiga da Sandy", falou, "ele queria mostrar a casa por dentro, pra ela poder contar para a família que Lindsay não estava lá."
- Gallagher perguntou se Rivera sabia de onde Heidnik tirava as ideias. "Sim", respondeu, entusiasmada. "De filmes e da TV. Ele copiou a ideia de dar partes do corpo da Sandy pra gente comer do filme *Tudo por Dinheiro* (1982) e os castigos de *O Grande Motim* (1962). Ele também viu *O Mundo de Susie Wong* (1960) e gostou das orientais. Por isso que escolheu uma esposa filipina."

Gallagher tinha chamado mais duas testemunhas: uma era o policial que prendeu Heidnik, a outra, uma bonita policial negra que interrogou Rivera. Ela testemunhou sobre a condição de Rivera logo após sair do cativeiro — "tremia e chorava", disse a policial Denise Turpin.

Com sua estratégia bem fundamentada, Gallagher chamou as outras três vítimas em rápida sucessão.

Lisa Thomas, agora com 22 anos, robusta, os cabelos em tranças. Ela foi à tribuna com calça azul-turquesa, camiseta e longos brincos balançantes.

A maior parte de sua história de captura era similar à de Rivera, assim como as de Jacquelyn Askins e Agnes Adams. Mas os detalhes não eram menos terríveis.

Um dia depois de acorrentá-la com Rivera e Lindsay, Heidnik pareceu ter um lapso de compaixão e substituiu a corrente que limitava os passos, pois prendia um tornozelo ao outro, por uma mais longa, que dava mais mobilidade.

"Por que ele fez isso?", Gallagher perguntou.

"Para eu abrir mais as pernas na hora do sexo", ela disse.

"Ele também batia em você?", o promotor perguntou.

"Sim", respondeu. "Quase desde o primeiro momento. Eu disse uma coisa que deixou ele bravo, e ele falou que ia me bater. E bateu. Ele me bateu cinco vezes com uma vara marrom grossa."

"Mais alguma coisa?"

"Ele me fazia bater na Sandy várias vezes; ele se divertia vendo a gente bater uma na outra... Ele subia em mim e me obrigava a chupar o pênis dele. Dizia que se eu não chupasse, ia me bater."

Quando foi interrogada por Peruto, Thomas, a princípio, não conseguia se lembrar do depoimento anterior, em que relatou que Rivera batia nas outras até mesmo quando Heidnik não estava por perto.

"Ah, sim, eu lembro", falou. "Nicole (Rivera) dava risada e enchia o buraco de água antes dos choques. Os choques elétricos foram ideia dela."

"Rivera estava só estimulando uma mente doentia, não é?", Peruto perguntou rapidamente, vendo uma brecha.

"Objeção", Gallagher berrou, saltando em pé.

"Aceita", disse a juíza Abraham, lançando um olhar austero para Peruto.

"O que mais ela fazia?", Peruto continuou.

"Ela e Gary saíam, e aí, voltavam e se gabavam do que tinham feito."

"Vocês planejavam escapar?"

"Sim, mas Nicole deu com a língua nos dentes pro Gary."

Gallagher reconquistou um pouco do terreno perdido quando a testemunha lhe foi devolvida, e pediu que Thomas esclarecesse que Rivera esteve o tempo todo acorrentada, até que Dudley foi eletrocutada. Embora Peruto tivesse conseguido extrair muito mais de Thomas do que de Rivera, o caminho ainda não parecia claro. Ele estava defendendo Heidnik ou acusando Rivera?

Jacquelyn Askins parecia apavorada. A mais jovem das prisioneiras contava com apenas 19 anos quando subiu na tribuna. Os olhos possuíam um leve toque oriental e estavam cheios de lágrimas; a voz, trêmula. Fazia ponto numa esquina no horário de almoço quando Heidnik a apanhou, levou para casa, fez sexo com ela, a algemou e levou para o porão. A primeira coisa que fez com ela no porão foi açoitá-la com um fio elétrico. Naquela noite, acrescentou, ele decidiu dar uma "festa". A descrição que fez dos eventos foi o primeiro, e último, depoimento indicando que Heidnik participava de sexo grupal.

"Eu chupava o pênis dele, e outra garota chupava as bolas", relatou. "Aí ele fazia sexo com uma garota, e eu ficava deitada do lado pra ele gozar em mim."

Mais tarde, Heidnik procurou garantir que Askins recebesse uma porção substancial de comida, pois ela era tão magrinha, que as argolas que tinha usado para prender as outras mulheres eram grandes demais para os tornozelos de Askins. Por isso, ele precisou usar algemas para prender as pernas dela. Quando parecia que não estava se alimentando direito, ele levava vitaminas e sanduíches com geleia e manteiga de amendoim — mimos raros no porão de Heidnik.

"Debbie tinha tanta fome que disse que comeria comida de cachorro", Askins falou. "Depois disso, nós todas recebemos comida de cachorro."

Ela disse que Heidnik as testava constantemente, provocando-as para observar suas reações, talvez tentando encontrar uma justificativa para castigá-las. Quando a polícia invadiu o porão para resgatá-las, Askins desconfiou se não era mais um truque de Heidnik. "Achei que a polícia era coisa dele", disse Jacquelyn Askins. "Achei que estava tentando fazer a gente gritar pra poder nos bater."

A adolescente estava em frangalhos na tribuna, soluçando em silêncio e enxugando os olhos com um lenço amassado. Peruto a estudou em silêncio por alguns segundos e decidiu não a interrogar.

Quando Askins deixava a sala, apoiada no braço de uma empregada da promotoria, as pessoas no tribunal se assustaram ao ouvir um grito alto e penetrante e uma voz rouca: "saiam daqui, saiam daqui". Askins tinha sido emboscada pelas câmeras de TV, de guarda no corredor.

O rosto da juíza Abraham ficou vermelho. "Tragam todos aqui", ordenou. "Agora."

Com o júri fora da sala, Abraham deu uma lição à meia dúzia de fotógrafos e câmeras de frente para a tribuna.

"Vocês não têm qualquer compaixão", disse a eles. "Se aquela fosse sua mãe ou sua irmã, vocês seriam os primeiros a socar a cara de alguém. Foi um truque sujo e de mau gosto para se aplicar em uma vítima, algo digno de vergonha. Vocês não têm sentimento ou senso de dignidade. Vocês não têm nada além de câmeras."

A resposta que adotou foi a única opção disponível no momento: expulsou-os do prédio. "Vocês estão expulsos", ordenou, furiosa. "Vou pedir que o xerife tire vocês. Fora. Se quiserem tirar fotos, vão ter de tirar lá fora."

Depois de dispensá-los, ela foi até a sua sala para se acalmar. Nesse meio-tempo, os espectadores no tribunal lotado a aplaudiram de modo efusivo. Foi uma ação que ela não tentou controlar.

Vinte minutos depois, os depoimentos foram retomados quando Gallagher convocou à tribuna a última das sequestradas, Agnes Adams.

Adams contou uma história diferente das outras mulheres, uma vez que ela havia se encontrado com Heidnik duas vezes antes da noite em que foi sequestrada. O primeiro encontro ocorreu no fim de 1986 ou começo de 1987, quando ele a apanhou em uma esquina e ofereceu dinheiro em troca de sexo. Eles foram até a rua Marshall, porém não conseguiram guardar o carro dentro da garagem, pois um automóvel bloqueava a entrada. Como Heidnik não conseguiu encontrar um lugar para estacionar, pagou-a pelo tempo perdido e a levou de volta.

A segunda vez foi em 20 de março de 1987. Dessa vez, levou-a para o quarto dele, onde fizeram sexo. Depois, deixou que saísse pelos fundos, fechando a porta quando ela saiu. A terceira vez, ela disse, foi na noite de 23 de março, quando foi abordada por Heidnik e Rivera, juntos. Ela relatou conhecer Rivera — que usava o nome de Vanessa — da época em que trabalharam juntas em um clube de *strip-tease*.

De acordo com seu relato, eles foram no Cadillac de Heidnik para a rua Marshall, onde fez sexo com Heidnik enquanto Rivera aguardava na sala de estar, no andar de baixo. Foi então que Heidnik a algemou e a arrastou para o porão.

Durante o interrogatório, Peruto fez com que Adams admitisse que Rivera poderia ter ido embora da casa de Heidnik a qualquer momento durante o período em estavam no andar de cima. Conseguiu ainda a informação de que Adams avistou Rivera na zona norte da cidade, duas semanas antes de ser capturada, portanto, mais de uma semana antes da data em que Rivera afirmou ter sido libertada das correntes. Depois, Peruto admitiu que Adams estava enganada a respeito desse encontro.

Em apenas dois dias, o Estado tinha apresentado suas principais testemunhas — processo que Gallagher originalmente estimou que levaria ao menos o dobro do tempo. O julgamento estava caminhando muito mais rápido do que todos esperavam. Se tudo corresse bem, Gallagher prometeu à juíza Abraham, terminaria sua apresentação de argumentos por volta do horário do almoço da quarta-feira. Ele acertou na mosca.

41

PANELA

22.06.1988

No entanto, antes que Charles Gallagher pudesse encerrar seus argumentos, ainda havia algumas pontas soltas que pretendia atar. Com os jurados retirados da sala, Gallagher, Peruto e a juíza Abraham olhavam a grande pilha de provas que o Estado queria utilizar. Gallagher era impiedoso em se tratando de provas. Antes de o julgamento acabar, ele tinha mostrado quase duzentos itens, desde fotografias do local onde o corpo de Dudley foi encontrado até um balde plástico vermelho cheio de correntes. O promotor também exibiu slides mostrando os pedaços de cadáver no freezer de Heidnik, mas Abraham viu tudo com antecedência em sua sala e decidiu que o júri não precisava ver isso. Quando acabaram de conferir todos os itens, e o júri foi convocado de novo, passava do meio da manhã.

No momento em que o julgamento havia entrado em recesso na terça-feira, o tenente da polícia James Hansen estava na tribuna. Detetive veterano da Homicídios, Hansen comandou a equipe que realizou a busca na casa de Heidnik e, posteriormente, liderou a investigação. A maior parte de seu depoimento tinha a ver com as provas materiais que Gallagher queria apresentar.

No entanto, Hansen acrescentou uma peça ao quebra-cabeça. Peruto conseguiu extrair dele o fato de que havia uma segunda pessoa — Cyril "Tony" Brown — acusada de ter ligação com os eventos no porão de Heidnik.

Os jurados pareceram confusos quando o nome de Brown foi citado, e a juíza Abraham rapidamente ordenou que o advogado de defesa abandonasse essa linha de questionamento.

"Você não pode fazer perguntas sobre ele", Abraham determinou, abrupta.

O restante das testemunhas de Gallagher ajudaram na reconstituição da cena do crime. O detetive que liderou a busca pelo corpo de Deborah Dudley testemunhou com riqueza de detalhes o caminho que ele e Rivera seguiram para encontrar o local.

Dr. Robert Catherman, o legista que realizou a autópsia em Dudley, confirmou a *causa mortis* por eletrocussão. "Um caso típico de ferimento eletrotérmico", declarou, sem qualquer emoção.

Catherman mencionou outro fato curioso: o corpo de Dudley também demonstrava provas de grande perda de peso recente. "Havia um excesso de pele", disse. "Tinha mais pele do que corpo." Essa condição ocorre, acrescentou, quando há uma rápida perda de peso, e a pele não tem tempo de encolher e se adaptar à perda de gordura.

Outras testemunhas depuseram rápido. Havia a irmã de Dudley, Diane Dudley, uma bela mulher de cabelo curto, que disse ao júri ter avistado Deborah pela última vez no Dia de Ação de Graças, um mês e meio antes de ela desaparecer.

O policial Julio Aponte testemunhou sobre a queixa dos vizinhos do mau cheiro na rua Marshall em fevereiro de 1987, mas não investigou nada mais após Heidnik lhe dizer que o odor era de seu jantar, que, por distração, queimou.

"Você sabe que um jantar não pode queimar por dias a fio, não é?", Peruto perguntou durante o interrogatório.

"Não sei", Aponte respondeu. "Não sei cozinhar."

"Você não disse que viu alguma coisa cozinhando na panela no fogão?"
"Sim."

"Você perguntou [a Heidnik] sobre essa panela?"
"Não."

"Você já tinha sentido um cheiro daqueles antes na vida?"

"Não."

"Mas você se deu por satisfeito de que tudo estava bem?"

"Não tinha motivos para acreditar que algo estava errado. Ele estava vivo."

Outro depoimento com detalhes sinistros foi o do dr. Paul Hoyer, o legista assistente que analisou os membros encontrados no freezer.

Hoyer disse que, além das partes congeladas, os investigadores encontraram no quintal fragmentos do osso de um braço que eram compatíveis, em forma e tamanho, com outra parte encontrada no freezer. "Os fragmentos tinham pelos de cachorro grudados", disse.

No forno, encontraram diversos fragmentos de costelas, alguns de dentes, e um dente intacto. "O dente intacto tinha um padrão de desgaste bastante atípico", Hoyer testemunhou. "Olhamos uma fotografia de Sandra Lindsay e verificamos que ela possuía um padrão de mordida raro". Os investigadores também encontraram no fogão diversos fragmentos de mãos, pedaços de crânio, partes do ombro e um pedaço de vértebra. "Não havia nada que indicasse que os restos pertenciam a mais de uma pessoa", acrescentou.

Hoyer disse que a identificação foi feita pelo estudo do pulso esquerdo, encontrado no freezer. Lindsay o tinha machucado um ano antes, e havia uma radiografia nos arquivos. Essa radiografia foi comparada com o pulso encontrado no freezer. "A forma e o tamanho batem", disse Hoyer, "e a 'identidade óssea' também. Existem peculiaridades em nossos ossos, e cada um possui características únicas. Comparando esses dados, conseguimos determinar que eram de Sandra Lindsay."

Entretanto, afirmou que era impossível determinar como ocorreu a morte de Lindsay com base no material encontrado. "Todavia, posso afirmar que a morte dela não foi natural, considerando o esforço extremo para que essa morte fosse ocultada. Determinamos que a causa da morte foi homicídio doloso."

Peruto pediu que a juíza Abraham removesse do depoimento de Hoyer a conclusão de homicídio.

"Não", Abraham respondeu.

"Demando a remoção da causa da morte", Peruto insistiu.

Outra vez, Abraham recusou. "Não creio que o método da execução precise ser provado para determinar se foi um homicídio doloso", ela disse. "A questão é, a promotoria estabeleceu essa morte como homicídio culposo?"

Gallagher se levantou e ajeitou a aba do bolso: "Encerro minha parte".

Imediatamente, Peruto se pôs de pé, pedindo à juíza Abraham que retirasse a acusação de homicídio doloso. "Não havia intenção específica de matar", argumentou.

"Rejeitado", Abraham disse.

Olhando para o relógio sobre a porta, ela ordenou um recesso. A defesa apresentaria seus argumentos após o almoço.

42

PSIQUIATRA

22.06.1988

Chuck Peruto não poderia ter começado de pior maneira.

Sua primeira testemunha foi o dr. Clancy McKenzie, um corpulento psiquiatra pouco convencional, de cabelos desalinhados e aparência desleixada que o afastava tanto da imagem idealizada de um terapeuta quanto o Papai Noel de um executivo da IBM. Com suspensórios azuis e sorriso distante, McKenzie tinha o ar calmo e meio folclórico. Expressava-se de modo propositalmente vagaroso, quase tímido. Os jurados logo o entenderam e estavam preparados para gostar dele. Talvez até o escutassem.

Contudo, havia um problema. A juíza Abraham não queria que ele falasse.

Ironicamente, McKenzie quase não tinha sido admitido como testemunha especializada[1] ao ser questionado pela acusação.

Gallagher lhe fez uma série de perguntas, todas sopradas ao ouvido por sua própria testemunha-psiquiatra, o respeitado dr. Robert Sadoff.

"Você é membro da Associação Americana de Psiquiatria?"

"Fui, mas não sou mais."

---

1   [NE] No sistema judiciário brasileiro, dão o nome de "assistente técnico" a quem exerce essa função.

"Há quanto tempo?"

"Cerca de três anos."

"Você pertence a alguma organização ou instituição profissional?"

"Não, não pertenço."

"Você tem artigos publicados?"

"Alguns. Já escrevi sobre meu trabalho."

"Alguma publicação específica?"

"Não."

"Quer dizer que não escreveu?"

"Não, isso não é verdade. Eu não submeti meu trabalho para publicação."

"Você já trabalhou como psiquiatra forense?"

"Testemunhei uma meia dúzia de vezes. Não é o que mais gosto de fazer."

"Em quantos casos criminais?"

"Dois."

Com sorriso irônico, Gallagher voltou a se sentar. Caso optasse por rejeitar a qualificação de McKenzie, é quase certo que teria o apoio da juíza Abraham. De outra sorte, se não o rejeitou, foi por calcular que McKenzie causaria mais danos do que benefícios aos argumentos de Peruto. Ao menos, era essa a aposta que Gallagher estava fazendo.

Gary Heidnik demonstrou interesse mínimo pelos depoimentos de todas as testemunhas até então, porém ouviu com atenção a fala de McKenzie. Entre a prisão e o início do julgamento, Heidnik e McKenzie se encontraram trinta vezes, por um total de quase cem horas. Era infinitamente mais tempo do que todas as outras testemunhas psiquiátricas somadas. Obviamente, McKenzie e ele haviam se entendido bem.

Se McKenzie tivesse conseguido se limitar a responder àquilo que lhe era perguntado, seu testemunho teria sido de grande valia para a defesa. Porém, do jeito que se comportou, acabou se transformando em um grande problema.

"Não consigo entender", Peruto reclamou mais tarde. "Durante as sessões de preparação, ele estava focado; sabia o que dizer. E aí, quando foi para a tribuna, ele se recusou a seguir qualquer instrução. Ele tinha seu próprio plano; queria apresentar a teoria *dele* e não me permitia guiá-lo."

De fato, desde o começo, McKenzie exibiu uma tendência a dizer o que queria, em vez daquilo que Peruto esperava que dissesse. A defesa de Heidnik seria, de longe, mais eficaz, se o psiquiatra obedecesse ao esquema tático desenhado pelo capitão do time, Chuck Peruto.

"Não estou aqui para defender Gary Heidnik, e sim para explicá-lo", McKenzie começou. "Acredito que não devemos julgar um homem antes de nos pormos no lugar dele, e é bem difícil viver a vida de Gary Heidnik."

Sua teoria, ele disse, era que o esquizofrênico tem duas mentes — uma delas, adulta; e a outra, de uma criança problemática — dentro do mesmo crânio.

"Gary Heidnik é esquizofrênico?", Peruto perguntou.

"Ah, sim", McKenzie respondeu.

"Entre novembro de 1986 e abril de 1987, ele conseguia distinguir certo de errado?"

"Durante esse período de quatro ou cinco meses, ele não teria conseguido distinguir certo de errado. Mas vou falar do que aconteceu vinte anos atrás..."

"Se você começar uma aula de história", a juíza Abraham interrompeu, "vai perder o júri bem antes de chegar aonde quer."

"O que causou a esquizofrenia?", Peruto perguntou.

"Ah", disse McKenzie. "Meu ponto forte. Há um mecanismo de sobrevivência em todo mundo. Quando submetemos um filhote de cachorro a um choque elétrico potente, o cachorro, mesmo adulto, se eletrocutado de novo, reverte ao comportamento de filhote..."

"Não quero que o júri receba um diploma de medicina", disse Peruto, perdendo a paciência. "Me escute com atenção. Especificamente, qual foi sua descoberta no caso de Gary Heidnik?"

"Na esquizofrenia, cada elemento do comportamento é como o comportamento de uma criança... Tudo que a pessoa mentalmente perturbada vive se relaciona de algum modo com a infância. O elemento mais comum que se encontra é o nascimento de um irmão ou de uma irmã no primeiro um ano e meio de vida. Gary Heidnik tem um irmão dezessete meses mais novo..."

A juíza Abraham interveio para que McKenzie respondesse à questão formulada. "Você está matando todo mundo com tantas palavras, doutor." Não deu certo. Ele a ignorou.

"O trauma do presente leva um adulto de volta ao trauma do passado", McKenzie prosseguiu. "Investiguei cada um dos atos de Heidnik, para verificar se são os atos de um cérebro de 17 meses de idade, ou se são os atos de um adulto. Se os atos foram de um cérebro de 17 meses de idade, Gary Heidnik não teria condições de distinguir entre certo e errado..."

"Só responda em uma ou duas palavras", disse Peruto, interrompendo-o. "Se precisar elaborar, não mais do que quinze palavras. Que trauma Heidnik teve aos 17 meses?"

McKenzie não respondeu. Em vez disso, iniciou uma prolixa explicação sobre o que é esquizofrenia.

"O júri não tem que determinar o que é esquizofrenia, apenas determinar se o réu sabia a diferença entre certo e errado", disse Abraham. "O júri não tem que entender todas as ramificações."

"O irmão dele nasceu quando ele tinha 17 meses de idade", continuou McKenzie. "Sua esposa o deixou pela primeira vez, e ele tentou cometer suicídio. Porém, ela voltou e o deixou novamente em abril de 1986, e isso desencadeou o processo todo. Ele decidiu que nenhuma mulher o abandonaria de novo e que ninguém tomaria seus filhos outra vez. Essa era a quarta vez. Ele ficou totalmente fora de controle. Ele pegou mulheres, acorrentou elas, e desenvolveu esse conceito de que iria criar filhos normais no porão. Esse é o cérebro de uma criança de 17 meses."

"Por que ele preferia mulheres com deficiência mental?", Peruto perguntou.

"Ele se sentia rejeitado, por isso procurava pessoas que também tinham sido rejeitadas."

Peruto o questionou da relação entre o que foi dito e o modo como tratou as mulheres no porão.

"Como uma criança faria com um bicho de estimação", disse McKenzie. "Enfiando pedaços de pão na boca do animal. Quando teve que se livrar dos corpos, era como uma criança de 2 anos de idade tentando esconder embalagens de doces. Ele colocou partes do corpo na panela, no forno, no quintal, em toda parte. Só faltou mesmo fazer uma pesquisa de opinião. Você sabe por que ele colocou o corpo no freezer? Ele planejava dar a carne humana para as crianças, quando já não mamassem. Os bebês mamam por aproximadamente seis meses e, depois, passam a ter o desejo de devorar a carne da mãe... Ele punia do mesmo modo que era punido quando criança... Ele fazia uma festa da cerveja para elas toda sexta-feira. Fazia pipoca na manteiga. Quando ouviu que as garotas planejavam matá-lo, as punições pioraram... Certo dia, um pouco de comida de cachorro caiu no chão, e uma das garotas pegou e comeu. Ele não conseguia entender por que alguém iria querer comer comida de cachorro..."

"E como ele conseguia investir em ações?", Peruto interrompeu.

"Quando adoeceu, fez péssimos investimentos... Ele perdeu 100 mil dólares em um curto período de tempo quando ficou doente..."

Faltando dois minutos para as 16h, meia hora antes do encerramento normal, Peruto, frustrado e exausto, passou McKenzie para Gallagher. Quase dava para ouvir o promotor lambendo os lábios.

...o Arcanjo Original, das hostes celestes, Demônio ou Satã e recebem o nome de

ou comandante
é chamado
seus filhos
Pecado & Morte.

— *Matrimônio
do Céu & Inferno*,
William Blake

43

PROMOTORES

23.06.1988

Quando Charles Gallagher interrogava uma testemunha da defesa, ele não era o mesmo Charles Gallagher promotor. Até essa altura do julgamento, Gallagher tinha sido calmo, com notável educação, contido e respeitoso. Contudo, ao interrogar uma testemunha da defesa, tornava-se arrogante, ríspido, impaciente. Era uma nova personalidade, cujo momento para vir à tona tinha chegado: Clancy McKenzie ainda estava na tribuna. Porém, antes de pressionar o psiquiatra, outras questões precisavam ser resolvidas.

Antes mesmo de os jurados tomarem seus lugares, Peruto disse à juíza Abraham que estava considerando pedir que instruísse o júri a considerar a possibilidade de que Josefina Rivera fosse cúmplice de Gary Heidnik.

"Se o réu é esperto o suficiente para recrutar o auxílio de uma cúmplice, ele sabe o que está fazendo", Abraham disse. "Pode haver esse problema se você indiciar Rivera... Se você quer uma acusação de cumplicidade, posso conceder, mas Rivera não é boba. Não é preciso pensar muito para concluir que, se seu cliente é esperto o suficiente para arranjar uma cúmplice, então ele não é insano. Por que você não conversa com ele?"

Estava mais quente do que nunca no tribunal. No dia anterior, a Filadélfia tinha atingido a temperatura superior a 40°C pela primeira vez em onze anos. Quando os jurados apareceram, apenas dois estavam de terno. Peruto pendurou o paletó nas costas da cadeira, mas Gallagher mantinha o seu. Após rápida ajeitada no paletó, o promotor começou, com clara satisfação, a questionar McKenzie.

"Qual é a definição legal de insanidade?", Gallagher perguntou, tentando determinar se McKenzie conhecia a "Regra de M'Naghten". Adotada na Inglaterra em 1843 e, depois, importada para os Estados Unidos, a regra, batizada em homenagem ao lenhador escocês insano que tentou assassinar o primeiro-ministro, postula que uma pessoa não deve ser responsabilizada por atos criminosos se, por motivo de "doença mental", for incapaz de compreender "a natureza e o caráter" de seus atos, ou se não puder compreender que tais atos são errados. É a regra usada em 25 estados norte-americanos, além da Pensilvânia.

"Quando uma pessoa não sabe...", tão logo começou, McKenzie se perdeu. "Não sei a definição exata."

Gallagher lhe entregou uma folha com a cópia de uma página dos estatutos da Pensilvânia. McKenzie leu: "...alguém que não sabe o que está fazendo ou não consegue diferenciar certo de errado".

"Qual seria o caso aqui?", Gallagher queria saber.

"Ambos."

"Ele não sabia o que estava fazendo de novembro até abril?"

"Tenho que checar meu diagrama..."

"Ele escolhia mulheres com deficiências mentais para se satisfazer sexualmente?"

"Não concordo com essa declaração."

"Ele sabia o que estava fazendo quando atraiu garotas com deficiências mentais para o porão?"

"Não. Mas de qual 'ele' você está falando? Seu cérebro adulto ou o infantil?"

"O cérebro adulto sabia?"

"O cérebro adulto estava funcionando em capacidade bastante reduzida."

"Sim ou não?"

"O cérebro adulto tinha consciência limitada. Ele sabia o que estava fazendo quando dirigia um carro, mas não o suficiente... não, ele, com certeza, não conseguia distinguir certo de errado."

"Heidnik sabia que estava fazendo algo errado quando tentou ocultar a identidade de Sandra Lindsay, desmembrando o corpo, destruindo a cabeça e as impressões digitais?"

"Não. Não havia o suficiente da mente adulta presente... foi só quando foi jogado na cadeia, quando alguém o espancou e deram a medicação antipsicótica, que ele voltou a si. Quando mostraram fotos delas, ele nem sequer as reconheceu, exceto Sandra, que era amiga dele. Isso porque estava olhando para elas com o cérebro infantil. Seu cérebro adulto não tinha visto elas."

"Existe alguma possibilidade de que ele estivesse fingindo?"

"Não. Com certeza, não."

"Não é verdade que uma pessoa pode fingir doença mental?"

"Ele não pode fingir esquizofrenia *para mim*", McKenzie insistiu.

McKenzie foi dispensado logo em seguida, para alívio de Peruto. Gallagher lançou um pequeno sorriso. Ele tinha se divertido.

A essa altura do julgamento, algo estranho podia ser notado: a juíza Abraham também parecia ter assumido nova personalidade, uma que aparentava ser a favor da acusação. Dado o histórico dela de promotora bastante agressiva, não seria estranho que sua simpatia pendesse para esse lado. Além disso, ela talvez estivesse com grande dificuldade em permanecer imparcial com Gary Heidnik, considerando a crueldade de seus atos. De forma visível, sua paciência com Peruto estava mais curta. Suas personalidades teriam conflitado mesmo nas melhores circunstâncias, e a tensão no tribunal não era propícia a melhorar essa relação.

Qualquer que fosse o caso, parecia ter começado quando Clancy McKenzie estava depondo e foi se tornando mais pronunciado. Ela não disfarçava sua impaciência ao lidar com o psiquiatra e, por vezes, chegou a soar desdenhosa. Havia ainda um outro incidente, indiretamente ligado a McKenzie.

Uma das primeiras ações de Abraham, após ser nomeada responsável pelo caso, foi emitir uma ordem de silêncio para os juristas não falarem com a mídia. Na prática, era para manter a publicidade em cheque enquanto selecionavam o júri. Mas a ordem persistiu até mesmo depois que o júri foi selecionado e isolado. O advogado mais prejudicado foi Peruto, porque ele tinha muito mais a ganhar no diálogo com repórteres do que Gallagher. Conforme o julgamento progredia, Peruto se sentiu sufocado pela restrição. "Não há motivo para a ordem de silêncio", resmungou na audiência com Abraham. "O júri está isolado e não pode ler jornal ou assistir à TV."

O fiasco com McKenzie prejudicou muito a paciência de Peruto; sentia que *tinha* de dizer algo. No intervalo de almoço, após McKenzie terminar seu depoimento, Peruto saiu discretamente pela escada nos fundos, e deu breve entrevista a David Henry, um repórter de TV local. Durante a conversa, as palavras "McKenzie" e "fiasco" foram vinculadas em uma mesma frase. Mais tarde, isso viria a público para assombrar Peruto. De volta ao tribunal, Peruto começou a se questionar se agiu certo ao permitir que o filmassem. Ele perguntou à juíza Abraham sobre a ordem restritiva.

"Ah", ela disse. "Encerrei-a ontem. Ficou registrado na ata da sessão."

Peruto pareceu confuso, assim como a dezena de repórteres que vinha cobrindo o processo diariamente. A cobertura de um julgamento guarda semelhanças com assistir a um jogo de futebol da arquibancada: você está próximo da ação, mas nem sempre consegue ver o que está acontecendo no campo. Entre as conferências paralelas, discussões de bastidores e informações contidas no meio de argumentos legais obtusos, um repórter nem sempre consegue acompanhar tudo. Nesse caso, no entanto, nenhum dos repórteres tinha ouvido a juíza Abraham suspender a restrição. Não era um grande problema, mas chamou a atenção de alguns repórteres mais atentos.

A ordem de restrição de informação não era crucial, mas logo o assunto se tornou mais sério. Quando Peruto convocou a testemunha seguinte, a juíza Abraham impôs a ele regras rígidas que apresentavam um grande desafio à defesa, ao passo que pareciam beneficiar imensamente a acusação.

44

REGISTROS

23.06.1988

Quando jovem, Jack Apsche foi operador de metralhadora em helicópteros no Vietnã. Ele sobreviveu a batalhas famosas, entre elas a desonrosa batalha do vale A Shau[1]. Naquela quinta-feira, 23 de junho, já adulto e quase chegando à meia-idade, quase foi abatido em missão no tribunal da juíza Lynne Abraham.

Na época, trabalhava como psicólogo especializado na pesquisa de registros médicos, Apsche passou semanas seguindo o complicado rastro de Gary Heidnik, que se estendia por diversos hospitais e dois continentes. Ele veio para o tribunal preparado para compartilhar suas descobertas, arquivadas na caixa preta grande que trouxe consigo para a tribuna das testemunhas. Abraham não parecia impressionada.

Quando Apsche puxou a pilha de anotações e se acomodou, antevendo ao menos dois dias de depoimento, a juíza Abraham iniciou uma extensa explicação a respeito da valoração judicial de uma testemunha de referência e das provas indiretas. No jargão legal, diferentemente das testemunhas presenciais, que estavam presentes durante a prática de determinado ato, as testemunhas de referência tomaram

---

1 [NT] Vale próximo à fronteira do Vietnã com Laos e palco de notória batalha, em março de 1966, em que as forças dos Estados Unidos e do sul do Vietnã foram derrotadas pelos insurgentes Vietcongues do Norte, e obrigadas a bater em retirada com numerosas baixas de ambos os lados.

conhecimento dos fatos por meio de outrem — "interposta pessoa", é como chamam. Em geral, não são aceitas as testemunhas de referência por dois motivos: primeiro, trata-se de algo pouco confiável; segundo, as partes envolvidas têm o direito de confrontar a pessoa que forneceu a informação. A situação da prova indireta é um pouco melhor. Registros médicos quase sempre são aceitos. Porém, esse era um caso especial. A juíza Abraham não iria permitir exceção para o uso dos registros médicos *de Heidnik*.

"Consigo ver para onde ruma esse depoimento", Abraham disse após Peruto formular a primeira pergunta, "e posso adiantar que não será aceito. Mesmo que o dr. Apsche usasse esses registros para fornecer um diagnóstico, eles não poderiam ser admitidos. Opiniões, diagnósticos e conclusões não serão admitidos."

Peruto ficou aturdido. Esse era um golpe tremendo, com potencial de inviabilizar sua estratégia. A tese da defesa se baseava na alegação de insanidade. Com o dr. Clancy McKenzie fora, Peruto teria de resolver o caso com base nos depoimentos das duas testemunhas psiquiátricas restantes. Uma delas era Apsche. A base para a alegação de insanidade estava na caixa preta de Apsche — a documentação que comprovava que vários psiquiatras, ao longo de um período de 25 anos, haviam diagnosticado, em Gary Heidnik, a presença de doença mental que comprometia sua capacidade de raciocínio. Em torno de 90% do testemunho de Apsche abordaria esses diagnósticos. Porém, a juíza Abraham não permitiu que os jurados tivessem acesso a essas provas indiretas. Peruto não sabia o que dizer. A única coisa que restava era manifestar sua objeção.

Além de extremamente rigorosa, a decisão era atípica, como, aliás, foram atípicas as demais decisões que prejudicaram somente o defensor. Em momento posterior, quando Gallagher, da acusação, quis apresentar registros médicos de Heidnik, Abraham permitiu. A juíza leu para os jurados um registro médico, contrariando a própria decisão de proibir que Apsche fizesse uso de prova indireta. E, além de qualquer dúvida razoável, o documento confirmava as afirmações de Gallagher.

Peruto pretendia demonstrar que os problemas mentais de Heidnik começaram quando recebeu licença médica do Exército dos EUA em um hospital em Landstuhl. "Ele chegou ao hospital com um problema médico e recebeu tratamento para um problema mental", Peruto argumentou.

"Mas o médico que deu aquele diagnóstico não está aqui", disse Abraham. Essa foi a última palavra.

Com a decisão, Apsche só poderia testemunhar das datas de internação de Heidnik, de quais sintomas reclamava à época e que tipo de medicação tomou. "Ele não pode mencionar a conclusão à qual chegou algum outro médico", ela disse. "Ele não sabe se esse médico estava bêbado ou louco."

Além disso, Apsche não poderia testemunhar quanto aos resultados dos testes nos registros, a menos que os dados brutos da análise também estivessem incluídos. Com os dados brutos, Apsche poderia interpretar os resultados por conta própria, sem depender das conclusões de outra pessoa. Mas a pegadinha era que nenhum dos arquivos continha dados brutos.

Tamanha era a frustração que Peruto sentia vontade de gritar. Ele teria de fazer o melhor que podia com todas essas restrições.

"Na sua opinião", perguntou a Apsche, "Gary Heidnik sabia a diferença entre certo e errado?"

"Não", respondeu Apsche, "na minha opinião, ele não sabia a diferença entre certo e errado."

"Na sua opinião, ele entendia a natureza dos próprios atos?"

"Ele não entendia a natureza de seus atos."

"Ele sofria de alguma doença mental?"

"Sim."

"Qual doença?"

"Esquizofrenia severa."

Apsche passou o resto da manhã catalogando as extensas experiências de Heidnik com hospitais mentais, começando pela época em que estava no Exército até praticamente a prisão. Havia um grande hiato, o período entre 1972 e 1978, em que Apsche não conseguiu encontrar qualquer registro de internação no circuito de hospitais normalmente frequentados por Heidnik. Além disso, existia um período, entre 1983 e 1986, em que os registros não eram claros. Nesse período, Heidnik foi internado em um hospital, saiu e, em seguida, se internou em outro. O registro era confuso, pois o primeiro hospital manteve seu nome no rol de pacientes de modo que, ainda que estivesse listado como paciente, não estava fisicamente na instituição. Ele poderia estar em qualquer lugar.

Por fim, um depoimento tocava a questão central do caso: se Heidnik era insano, ou se estava apenas fingindo. Gallagher, por outro lado, queria que o júri acreditasse que Heidnik tinha fingido a doença mental — uma simulação — desde a época de soldado. Seu motivo, Gallagher alegava, era receber o pagamento por invalidez e auxílio da Previdência Social. Na tentativa de fortalecer sua tese e enfraquecer a de Gallagher, Peruto perguntou a Apsche se algum dos médicos que examinou Heidnik pensou que ele estivesse fingindo.

"Objeção", interrompeu Gallagher.

"Aceita", disse Abraham.

"Existe teste para detectar fingimento?", Peruto perguntou, tentando outra via.

"Sim", disse Apsche.

"Gary Heidnik foi submetido a algum teste desse tipo?"

"Sim."

Antes que Peruto pudesse avançar, a juíza Abraham o interrompeu, lembrando-lhe da restrição quanto a resultados de testes desacompanhados de dados brutos. Iniciou-se outra discussão acalorada, em que Apsche rapidamente acrescentou: "Não, as provas documentais não indicam que ele estivesse fingindo". Abraham lançou um olhar de reprimenda.

Com os ânimos exaltados, ela anunciou o intervalo para o almoço, esperando que todos se acalmassem após comerem.

Funcionou por um tempo. Na primeira meia hora após o recesso, a situação estava relativamente calma, com Apsche concluindo sua litania a respeito do tumultuado registro de internações de Heidnik.

No entanto, as coisas esquentaram outra vez quando Gallagher teve a oportunidade de inquirir a testemunha.

O promotor focou no período de 1983 a 1986, em que Heidnik se tornou difícil de rastrear. Quando Heidnik recebeu a condicional, em abril de 1983, ele não foi direto para as ruas. Era condição para a libertação que fosse admitido no Hospital da Administração dos Veteranos em Coatesville. Em algum momento, entre essa internação e março de 1986, quando oficialmente recebeu baixa em Coatesville, ele não estava na instituição.

Gallagher afirmava que, na verdade, Heidnik deixou o hospital dos Veteranos em novembro de 1983.

Não era verdade, Apsche argumentou. Vasculhando a caixa preta, ele separou um punhado de papéis. "Aqui estão as anotações dos enfermeiros, mostrando que estava no hospital em 1984, 85 e 86", ele disse.

Gallagher mudou de direção, atacando o arquivo de Apsche como "suspeito".

"Você afirma que ele se internou no hospital dos veteranos em Perry Point, Maryland, em abril de 1971, porque estava deprimido com o suicídio da mãe, ocorrido cinco dias antes?", Gallagher perguntou.

"Eu não afirmei", Apsche respondeu. "O registro mostra."

Após procurar na pilha de papéis, Gallagher entregou um deles a Apsche.

"Qual era o nome da mãe de Heidnik?", Gallagher perguntou.

Apsche disse não se lembrar.

"Ellen Rutledge", disse Gallagher. "E o que acabo de entregar a você é uma cópia da certidão de óbito do condado de Lake, Ohio, para Ellen Rutledge. A data é 1970, e não 1971." Seu objetivo era demonstrar que Heidnik estava alegando sofrer de depressão por causa da morte da mãe, embora a perda da mãe tivesse ocorrido meses, e não dias, antes.

Apsche argumentou que era irrelevante. Falou que não é incomum alguém ficar deprimido por um ano ou mais após um evento traumático. Chama-se de estresse pós-traumático. É comum entre veteranos do Vietnã e outras pessoas que atravessam eventos dessa natureza.

"Isso significa que há dois erros nos seus registros", Gallagher afirmou, ignorando a resposta de Apsche.

"Não acho que esse seja erro", Apsche disse.

"Eu acho", interrompeu a juíza Abraham.

Recorrendo de novo à pilha de papéis, Gallagher catou outro documento e o entregou a Apsche. Era um sumário da alta de Heidnik após uma internação no Hospital da Administração dos Veteranos em Coatesville.

Gallagher pediu a ele que lesse.

Apsche olhou para Abraham e ergueu as sobrancelhas. Estavam inclusos no documento um diagnóstico e diversos resultados específicos de testes — dois tipos de itens que anteriormente ele tinha sido impedido de apresentar.

Apsche reclamou que o sumário da alta era "suspeito".

"Ah", disse Gallagher. "'Suspeito.'"

"Palavra sua, não minha", Apsche retrucou.

"Você diria que sua opinião de que esse homem não sabia diferenciar certo de errado também é 'suspeita'?"

"Não", Apsche respondeu enfaticamente.

45
PROTOCOLO
24.06.1988

Chuck Peruto ainda tinha um grande trunfo. O dr. Kenneth Kool era conhecido por toda a comunidade de juristas como psiquiatra de tribunal. Ou seja, fazia parte do grupo relativamente pequeno de psiquiatras que ganham a vida testemunhando. Às vezes, testemunhava para a defesa. Às vezes, para a acusação. Ao longo dos anos, compareceu a mais de mil julgamentos. Mas, antes que o júri pudesse ouvir Kool, havia algumas questões de procedimentos a resolver.

Peruto ficou de pé assim que a juíza Abraham se sentou e anunciou que pretendia chamar Vincent Nelson, o ex-namorado de Josefina Rivera. Peruto disse que Nelson testemunharia sobre a conversa que casal teve algumas vezes, antes de Rivera ser capturada por Heidnik, do choque elétrico como forma de tortura. Peruto garantiu que Nelson confirmaria que, quando Rivera foi até ele, em 25 de março, sua intenção original era assaltar Heidnik. Foi Nelson, e não Rivera, quem insistiu em chamar a polícia, afirmou Peruto. O advogado de defesa acrescentou ainda que a disponibilidade de Nelson para testemunhar não seria problema, pois ele estava preso por assalto e porte ilegal de arma. Não fugiria para lugar algum.

Gallagher objetou. "O depoimento do sr. Nelson é irrelevante", reclamou.

"Não", respondeu a juíza Abraham. "O sr. Peruto pode atacar a credibilidade da sra. Rivera. É direito dele questionar a credibilidade da testemunha."

Porém, havia questões mais importantes em sua mente. "Estou preocupada quanto ao dr. Apsche", desabafou. "Ninguém questionou se ele tinha licença. Ninguém verificou sua autoridade, ninguém verificou os registros. No mínimo, *no mínimo*, ele deveria ter tentado falar com os médicos. A verdadeira questão é se essas provas são legais. Acho que preciso que os senhores encontrem referências legais acerca de suas várias posições, agora que o júri ouviu seu testemunho."

"Tudo foi permitido", disse Peruto. "O Estado não apresentou objeção."

"Mas é o juiz quem decide", Abraham respondeu. "Diz respeito à admissibilidade das provas de que testemunhou. E a questão aqui não é admissibilidade, mas competência. Não preciso aguardar uma objeção de um de vocês. Se fosse assim, eu poderia muito bem ficar no meu escritório."

Após alguma discussão sobre casos anteriores que poderiam servir como precedente, Gallagher lançou um ataque contra o relatório preenchido por Apsche antes de depor. O relatório destacava as áreas do depoimento que pretendia cobrir.

"O relatório dele é repleto de erros", o promotor disse. "E agora recebemos um relatório do dr. Kool dizendo que ele se encontrou com o dr. Apsche." O argumento de Gallagher era que Kool dependia do relatório de Apsche e, se o relatório de Apsche estava errado, o testemunho de Kool também estaria.

Gallagher também reclamou que Peruto não entregou os relatórios das testemunhas psiquiátricas com antecedência suficiente para que ele pudesse estudá-los. "O relatório do dr. McKenzie me foi passado dez minutos antes que depusesse. E agora o sr. Peruto entregou um relatório escrito à mão pelo dr. Kool. Não creio que tenha cumprido com os protocolos do julgamento. As atitudes do sr. Peruto não estão de acordo com as regras, e peço que o dr. Kool seja impedido de testemunhar. Peço também que o testemunho do dr. Apsche seja excluído."

"Você pode interrogar o dr. Kool sobre o relatório do dr. Apsche", a juíza Abraham disse. "Mas só aponta para a enfermidade nos procedimentos criminais... Eu culpo o sr. Peruto. É abuso flagrante das minhas ordens."

Mas não era isso que realmente a preocupava. Após conferir o relatório de Kool, ela afirmou temer que o depoimento dele violasse as prerrogativas do júri.

O documento de três páginas escrito à mão pelo dr. Kool, com data do dia anterior, tocava em algumas questões delicadas. Três, para ser mais específico. Insanidade. Capacidade diminuída. Culpado, mas insano. Todos conceitos diversos, mas todos lidando com o estado mental do réu quando o crime foi cometido. A defesa de Peruto envolvia os três conceitos. Ele estava cobrindo todas as bases.

Capacidade diminuída, ou responsabilidade penal diminuída é considerada uma defesa criminal válida em diversos estados, incluindo a Pensilvânia. Quando se tenta um acordo desses, a defesa admite que o acusado é mentalmente são do ponto de vista legal, mas possui capacidade cognitiva diminuída. Dependendo de como for interpretado no tribunal, pode-se dizer que há uma admissão de que o réu não é insano, porém lhe falta a habilidade mental necessária à premeditação. Ou seja, não é capaz de planejar um assassinato. Portanto, sendo incapaz de elaborar algum plano delitivo, não poderá ser acusado de homicídio doloso, que é aquele em que há a intenção de matar. Exceto o assassinato doloso, para as demais classificações de homicídio, a condenação no máximo chegaria à prisão perpétua.

Se Peruto conseguisse convencer o júri da incapacidade mental de Heidnik para planejar um assassinato, a pena aplicada seria relativa a uma acusação menos grave que a do homicídio doloso. Isso o salvaria de uma execução.

Entretanto, a tese da capacidade diminuída não encontraria eco nas posições de Kool. O relatório do psiquiatra era enfático nessa questão. "Capacidade diminuída não é algo a ser considerado neste caso", escreveu.

"Culpado, mas mentalmente enfermo", é outro conceito jurídico. Assim como ocorre no caso da capacidade diminuída, no veredicto de culpado, mas mentalmente enfermo, há reconhecimento extra de que a pessoa *ainda* sofre de doença mental grave. Apesar de a doença não ser suficiente para que a pessoa seja considerada insana perante a lei, o fato de a pessoa ser enferma significa que ela não pode ser punida com o rigor aplicado a quem não possui doenças mentais. Em geral, a pessoa considerada culpada, mas mentalmente enferma, é mandada para um hospital, em vez de ir para a prisão. Quando a doença mental é curada, ela é transferida para a prisão, onde cumpre o restante da pena.

Esse conceito tem causado uma série de problemas na comunidade jurídica. Ao que parece, ninguém consegue entendê-lo direito. Basicamente, todas as leis que regulam o conceito de culpado, mas mentalmente enfermo, são atacadas pelas mais diversas correntes de pensamento jurídico. A comunidade acadêmica considera o conceito bom, porém com a aplicabilidade comprometida por suas imprecisões.

Assim como Peruto não contava com o respaldo do dr. Kool para a alegação de capacidade diminuída, tampouco poderia depender do psiquiatra para confirmar a tese de que seu cliente era culpado, mas mentalmente enfermo.

"Sou da opinião de que o conceito de 'culpado, mas mentalmente enfermo' não se aplica ao caso", Kool escreveu. "Esse diagnóstico requereria uma capacidade que Heidnik não possuía à época. Não vejo provas de que ele estivesse ciente de seu delírio, nenhuma prova de capacidade mental com a qual refletir, reconhecer ou ter clara cognição de certo ou errado, ou mesmo natureza e caráter" (saber o que ele estava fazendo).

Tanto capacidade diminuída, quanto culpado, mas mentalmente enfermo são veredictos diferentes daquele que declara insanidade. Se uma pessoa é absolvida por motivo de insanidade, pode ser internada em uma instituição mental, mas não pode ser considerada culpada pelo crime. Quando declarada curada de sua doença mental, ou quando não é mais considerada uma ameaça ao público, essa pessoa é libertada. Não há qualquer pena de prisão envolvida.

Peruto *conseguiria* apoio de Kool quanto à suposta insanidade de Heidnik. Forte apoio.

"É minha opinião", o psiquiatra escreveu, "que, naquele período (novembro a março), o sr. Heidnik experimentou uma intensificação de sua já longeva esquizofrenia, e isso ocorreu com tanto vigor que sua capacidade mental de entender a natureza e o caráter de seus atos desapareceu, retirando-lhe as condições objetivas de distinguir o certo do errado.

"Fundamento minha opinião no fato de que ele estava respondendo a um delírio sistematizado, do qual não estava ciente e não tinha conhecimento, pois apresentava um quadro psicótico à época, e que sua percepção do mundo e comportamento delirante eram um produto direto dessa psicose. Sua 'realidade' era uma ilusão. Sem a capacidade mental para compreender esse fato, reagiu daquela forma em resposta ao que sua psicose o levou a compreender como real. A psicose lhe negou a capacidade mental de refletir conscientemente e tomar decisões racionais. O estilo de vida dele era bizarro, caótico e regrediu ainda mais quando foi dominado por psicose profunda... minha opinião é que esse é um caso que se encaixa no critério de insanidade."

Isso tudo era munição pesada. Porém, não era isso que preocupava Abraham. Ela temia que o depoimento de Kool fosse contundente demais, o que confundiria o júri.

"Ao olhar o relatório do dr. Kool", disse, "o problema que tenho é com a afirmação de que não há prova de que o réu seja culpado, mas mentalmente enfermo. O doutor pode dizer que o réu não sofria de uma doença mental de acordo com a lei, mas não que o júri não pode chegar a um veredicto que contrarie isso. Isso usurparia a função do júri... Como ele pode dizer que o homem é louco, mas não culpado e mentalmente enfermo? Isso vai confundir o júri."

Peruto não cedeu terreno. "Ele vai além de culpado, mas mentalmente enfermo. Ele não diz que Gary Heidnik não tenha uma doença mental."

"Causa confusão demais ao júri", argumentou Abraham. "Não posso deixar o dr. Kool dizer aos jurados que não podem considerá-lo culpado, mas mentalmente enfermo. Ele *não pode* se intrometer na tarefa deles de definirem os fatos."

Peruto discordou. "Ele *pode*, porque é um especialista."

"Não", a juíza Abraham se irritou. "Um especialista não pode nunca se intrometer. Ele pode dar uma opinião, e só."

"Ele só diz que é mais do que questão de ser culpado, mas de ser mentalmente enfermo", Peruto argumentou.

"Ele não pode ignorar a lei", Abraham disse. "A legislação diz que essa é uma prerrogativa do júri."

Esse foi o fim da discussão. Peruto se sentou.

Contudo, Abraham ainda não tinha terminado com o advogado de defesa. Estava desconfortável com o que leu na edição do *Inquirer* daquela manhã, com a matéria destacando a fala em que Peruto qualificou a participação do dr. Clancy McKenzie como "fiasco". "Incomoda-me muito um advogado dizer que a própria testemunha é um fiasco", ela disse, olhando para Peruto. "Não quero nenhum dos dois", seguiu, incluindo Gallagher no aviso, "dizendo para o Dr. Kool que McKenzie foi um fiasco."

A discussão levou uma hora e quinze minutos. Nesse meio-tempo, os jurados permaneceram sentados na antessala — com certeza, perguntando-se o que se passava, mas não podiam saber. Quando foram chamados, pareciam alegres e prontos para trabalhar. Uma frente fria tinha chegado durante a noite, empurrando o ar quente que cobria a cidade. Ainda estava quente na sala 653, porque o ar-condicionado não tinha sido consertado, contudo a temperatura interna cairia durante o dia. Talvez se devesse, em parte, a Kool, que era tão calmo e contido quanto seu nome sugeria[1]. Era um profissional. Gallagher não conseguiria abalá-lo.

---

1 [NT] "Cool": frio, gelado.

46

INSANIDADE

24.06.1988

Kenneth Kool é um tipo meio Gary Cooper, mas o Gary Cooper no auge: alto, magro, lacônico, imperturbável. Como veterano dos tribunais, não se deixava intimidar pelo entorno. Ele parecia mais em casa na tribuna do que os dois juristas que o encaravam.

Com voz de radialista, falando de modo distinto e confiante, disse que passou mais ou menos sete horas examinando Gary Heidnik e mais três horas com Jack Apsche, repassando o enorme arquivo sobre o réu.

"Você chegou a uma conclusão a respeito do sr. Heidnik?", Peruto perguntou, de modo claramente ansioso.

"Vamos com calma", advertiu a juíza Abraham. "Primeiro, explique os fundamentos."

Em resposta a uma série de perguntas de Peruto, Kool disse que estudou com cuidado o histórico médico de Heidnik e tinha chegado à conclusão com base nos dados e em sua experiência em casos envolvendo réus mentalmente enfermos. "Não conheço todos os elementos da personalidade dele, mas conheço aqueles que imagino serem os principais", falou.

"Entre novembro e março, ele conseguia entender a natureza e o caráter de seus atos?", Peruto questionou.

"Não", afirmou Kool, acrescentando que Heidnik também não tinha a capacidade de diferenciar certo de errado.

"Mas ele sabia dirigir", disse Peruto. "Isso faz alguma diferença?"

"Não."

"Se dissesse que ele desovou um corpo em New Jersey, mudaria a opinião?"

"Não."

Sob questionamento de Peruto e da juíza Abraham, Kool repetiu todos os detalhes já listados em seu relatório: que Heidnik tinha delírios e não sabia; que era psicótico; que sua percepção da realidade era desequilibrada; que seu estilo de vida era bizarro e havia regredido.

"O que é delírio?", Peruto perguntou.

"Delírio é uma falsa realidade, percebida pela vítima como a realidade", respondeu Kool.

"Ele contou a você o objetivo dele?"

"Estou ciente de seu objetivo delirante", Kool começou. "Ele tinha desenvolvido um delírio paranoico e grandioso de que Deus queria que gerasse crianças. Entendia isso como uma parceria com Deus. Era um delírio fixo, que teve por muito tempo. Era totalmente fora do contexto da realidade. Ele acreditava que, se fosse apanhado, não poderia prosseguir com essa ilusão."

Peruto perguntou se o dr. Kool acreditava que Heidnik era capaz de entender a ilicitude de seus atos.

"Ele tinha alguma ciência das leis dos homens, de quais são as leis do estado, mas ele via Deus como a lei definitiva. Ele não tinha a capacidade de entender isso."

"Você notou algum tipo de piora nos registros médicos dele?"

"Sim, notei. Vi alguns dos prenúncios do que iria acontecer. O fato de sequestrar uma jovem e a manter no armário no porão era um desses prenúncios. Quando escreveu à comissão de condicional e assinou como 'G. M. Morte', foi outro indicativo. Mais um foi a profunda reação à perda da única filha que conheceu. A negligência em relação à esposa enquanto estava grávida... Todos os elementos para a tragédia estavam lá."

"Você concordaria", interrompeu Abraham, "que dois psiquiatras podem discordar e, mesmo assim, um ser tão qualificado quanto o outro?"

"Sim", respondeu Kool.

"Você mudaria de opinião se Gary Heidnik tivesse ficado mudo com você?", Peruto indagou.

"Não", disse Kool, "mas mudaria a base para a formulação da minha opinião."

"Sua opinião mudaria se dissesse que a primeira coisa que ele quis fazer depois de desovar o corpo de Deborah Dudley foi comprar o jornal para ver se falava dele?"

"Não."

Peruto mencionou fatos que pareciam indicar que Heidnik vivia períodos de aparente normalidade e perguntou a Kool como isso se encaixava no diagnóstico de insanidade.

"Suas psicoses são ligadas sobretudo ao tópico de reprodução — ter bebês e cumprir seu pacto com Deus", respondeu Kool. "Ele não tem isso em áreas que não são conflitantes."

"Você com frequência se depara com falsários, não?", perguntou Peruto, mudando de rota.

"Sim."

"Você encontrou algum indício de fingimento no decorrer da história dele?"

"Não", respondeu Kool. "Na minha opinião, ele não é são, e há muitos anos. Há coisas que argumentam contra a suspeita de simulação. Veja quantas vezes quis permanecer em hospitais, mesmo quando queriam que fosse embora. Sua carta à comissão de condicional, seu hábito de acumular remédios, de ficar mudo. Não havia vantagem em fingir por todos esses anos. Não havia ganho; nem mesmo secundário."

Quando Charles Gallagher assumiu o interrogatório, a abordagem foi muito diferente da usada com McKenzie e Apsche. Gallagher assumiu uma quase deferência em relação a Kool.

"Você não viu qualquer indício de fingimento, certo?"

"Correto."

"Você comparou as datas de internação com as datas que ele usou nas requisições na administração da Previdência Social e na Administração dos Veteranos?"

"Não me lembro delas especificamente."

Gallagher destacou as circunstâncias da dispensa de Heidnik do Exército e como seu benefício previdenciário aumentou de 10% para 100% do valor possível.

Antes que pudesse se aprofundar no depoimento, Peruto pediu à juíza Abraham para dispensar o júri, pois precisavam discutir uma matéria: Vincent Nelson. Peruto revelou ter abandonado o plano de requisitar o depoimento dele.

"O sr. Peruto receava que Nelson cometesse perjúrio de modo a se enaltecer", Abraham anunciou após breve conferência em paralelo.

"E ele pode ter se confundido totalmente em algumas afirmações", Peruto acrescentou.

Com o júri de volta, Gallagher prosseguiu com suas perguntas para Kool. Porém, primeiro, entregou ao dr. Kool um papel e perguntou se já o tinha visto antes.

"Não", disse Kool. "Não tinha visto."

Com o auxílio de Gallagher, Kool leu o documento de cabo a rabo. Tratava dos exames que Heidnik fez em hospitais militares na Alemanha e nos Estados Unidos. E incluía o diagnóstico de um médico do Exército, afirmando que Heidnik possuía personalidade esquizofrênica, sem, contudo, ser psicótico.

Não passou despercebido que a juíza Abraham permitiu a Kool ler um diagnóstico — entregue por Gallagher — redigido pelo médico que o antecedeu na tribuna, mas proibiu que Apsche fizesse o mesmo quando o requerimento partiu de Peruto. Questionada, no intervalo do almoço, a esse respeito, Abraham disse: "Aquela era uma informação que dr. Kool não tinha e poderia fazer com que mudasse de opinião. Era uma testemunha diferente. Tratava-se de um médico que passou sete horas examinando Heidnik e declarou ter fundamentado sua opinião, em parte, em registros. Esse era um documento que ele não conhecia. São situações totalmente diferentes".

Apesar das objeções de Peruto, todas negadas pela juíza Abraham, Gallagher apresentou vários documentos em sequência para que o dr. Kool lesse. Entre eles, havia o relatório de análise de antecedentes criminais e de histórico financeiro e comercial de Heidnik, em 1965, para uma vaga de emprego. Gallagher o apresentou para que ficasse registrado que Heidnik recebeu treinamento, durante diversos meses, como enfermeiro psiquiátrico na Administração dos Veteranos.

"Se alguém tem um QI de 148, o que isso quer dizer para você?", Gallagher perguntou.

"Testes de QI são relativos. De 90 a 110 é médio; 148 é bastante alto."

"E que tal 130?"

"Entre elevado e bastante elevado."

"Em 24 de maio de 1978, Gary Heidnik foi avaliado...", Gallagher começou.

"Objeção", Peruto gritou.

"Negada", disse Abraham.

"...e ele pontuou 120 na seção verbal, 127 em desempenho e 130 no geral."

Outra vez, a juíza Abraham permitiu Gallagher apresentar provas indiretas, apesar de ter proibido Apsche e Peruto de utilizar o mesmo recurso. Quando decidiu pela proibição, disse a Apsche que poderia se referir aos resultados, apenas no caso ter em mãos os dados brutos, que ele mesmo interpretaria. No entanto, ela não questionou Gallagher a respeito de dados brutos. E ele não mencionou essa informação.

Mudando de direção, Gallagher perguntou a Kool se ele concordava com a teoria de McKenzie da causa da esquizofrenia.

"São pouquíssimos os psiquiatras que acreditam na teoria de que experiências no começo da vida são o único fator determinante para esquizofrenia", disse Kool, escolhendo as palavras com cautela. "Muitos acreditam que se trata de doença primariamente genética... mas não há consenso ainda. Assim como o câncer, é um fenômeno bastante complicado e, além disso, não tem cura. A medicação só dificulta. Todas essas teorias têm seu espaço dentro da psiquiatria... ainda não temos uma definição perfeita da esquizofrenia."

Gallagher perguntou: "Qual é o percentual de psiquiatras que concordam com McKenzie que experiências no começo da vida são as mais importantes?".

"Um percentual muito inferior a 5% considera essa a única causa", Kool respondeu.

Gallagher repetiu a história sobre pensão e benefícios e perguntou se achava que isso indicava que Heidnik estava fingindo.

"Não", disse Kool. "Na minha opinião, ele tem uma doença mental severa."

"Você acredita que ele disse a verdade quando você o examinou?"

"Sim."

Gallagher queria saber se Kool tinha certeza.

"Não sou capaz de ler mentes", Kool respondeu. "Estou dando minha melhor opinião. Não posso ter certeza de que alguém está mentindo."

Persistindo no assunto, Gallagher detalhou as constantes transferências de Heidnik entre hospitais mentais quando cumpriu pena pelo sequestro de Alberta Davidson.

"Não tenho qualquer conhecimento disso", disse Kool.

"Isso tudo não indica para você que ele está fingindo?"

"Não", Kool disse com ênfase.

Com um aceno de cabeça à juíza Abraham, Gallagher indicou que tinha terminado o questionamento de Kool. Após o julgamento, num *talk show* de fim de noite com Larry King, Gallagher se gabou de como "demoliu" as três testemunhas psiquiátricas da defesa. Se Kool tinha sido demolido, certamente não aparentava.

Já que Kool era a última das três testemunhas, Gallagher iniciou a réplica depois do almoço. Sua primeira testemunha era o dr. Robert Sadoff, outro profissional dos tribunais, do mesmo nível de Kool. Assim como Kool, Sadoff testemunhava para ambos os lados. Dessa vez, estava alinhado com a acusação. Assim como Kool, ele era praticamente inabalável.

47
ESQUIZOFRENIA
24.06.1988

Charles Gallagher puxou a barra do terno e convocou sua testemunha em voz alta: "Robert Sadoff". Um homem bem-vestido, de cabelo curto e castanho, além do jeito relaxado, caminhou com calma até a tribuna das testemunhas, e ergueu a mão direita. Assim como Kenneth Kool, Sadoff tinha estado em tantas audiências que provavelmente carregava a própria Bíblia.

"Já testemunhei em tribunais estaduais e federais em mais de vinte estados", admitiu com modéstia, quando Gallagher pediu que apresentasse suas credenciais. "Testemunhei em um comitê do Senado para discutir o que deveria ser feito com pessoas consideradas culpadas, mas mentalmente enfermas." Gallagher assegurou — antecipando a estratégia da defesa, de alegar insanidade — que Sadoff testemunharia para a promotoria, poucas semanas após a prisão de Heidnik.

Apesar da convocação de primeira hora, Sadoff não conseguiu extrair muito de Heidnik. Passou aproximadamente vinte minutos com o réu antes de desistir, enojado. Heidnik se recusava a falar. Os dois nunca trocaram uma palavra sequer.

Mas não importava, disse a Gallagher. Ele se baseou nos registros médicos de Heidnik, nos registros de negócios, nas fichas policiais e no depoimento de outras testemunhas.

"Qual é a definição legal de insanidade?" foi a primeira pergunta de Gallagher.

"A diferença entre alguém insano e alguém mentalmente enfermo é que a pessoa insana não entende a natureza e o caráter de seus atos e não consegue distinguir certo de errado."

"Gary Heidnik sabia o que estava fazendo quando pegou aquelas garotas?"

"Na minha opinião, sabia. Ele não estava simplesmente pegando gente na rua, como alguém com cérebro de 17 meses de idade." Sadoff não conseguiu resistir ao impulso de ridicularizar McKenzie.

"Ele queria se satisfazer sexualmente com elas?"

"Não creio que isso, por si só, seja errado. Homens fazem isso o tempo todo."

"Ele sabia o que estava fazendo quando as sufocou e as algemou?"

"Na minha opinião, sim."

"Ele sabia que era errado?"

"Na minha opinião, sabia."

Nos dez minutos seguintes, Gallagher conduziu Sadoff por uma série de perguntas similares, cobrindo todos os principais atos de Heidnik naquele período de quatro meses. Sadoff respondeu a cada pergunta afirmativamente, iniciando cada resposta com "Em minha opinião...".

"Com base na sua análise, qual é sua opinião sobre Heidnik?"

"Acho que provavelmente é esquizofrênico. Concordaria com quem o chama assim."

"Ele é um farsante?"

"Em determinados momentos, parece ter exagerado sua doença mental... para manipular as pessoas."

Gallagher perguntou se o mutismo era sinal de doença mental ou fingimento.

"Acredito que exagerava seu mutismo, qualquer que fosse a razão", Sadoff respondeu. "Ele pode ter decidido não falar, para aparentar um quadro psicótico diante dos médicos, mas nos bastidores sabia o que estava fazendo e sempre soube."

O promotor perguntou se Sadoff acreditava que Heidnik fingia quando se apresentou no hospital em Maryland, em 1971, pouco após ter solicitado que a administração da Previdência Social reconsiderasse a ação por benefícios.

"Ou foi uma coincidência incrível, algo em que não acredito, ou esse sujeito é tão esperto que decidiu ir até Maryland, onde poderia começar de novo, recorrendo a uma agência diferente da Previdência Social."

A testemunha acrescentou que, para ele, Heidnik estava fingindo durante o cumprimento da pena. Fazia isso com o objetivo de ficar em um hospital psiquiátrico, que era muito mais agradável do que se juntar à população carcerária. Sadoff falou que não importava para onde fosse transferido dentro do sistema, Heidnik sempre dava um jeito de dizer onde estava a seu corretor na bolsa.

"É possível alguém simular doença mental?"

"Acho que é mais fácil simular doença mental do que insanidade. Não é difícil simular doença mental."

"Na sua opinião, ele possuía alguma doença mental grave que tivesse feito com que ele desconhecesse a natureza e o caráter de suas ações?"

"Talvez ele tivesse alguma doença mental grave", Sadoff disse, "mas as provas indicam que não estava tão desprovido de julgamento que não entendesse a natureza e o caráter de suas ações."

Gallagher perguntou a Sadoff se ele achava que Heidnik deveria ser responsabilizado por seus atos.

"Você tem que considerar alguém responsável ou não responsável", disse Sadoff. "Não há nada que indique que Heidnik não sabia que as coisas que estava fazendo eram erradas enquanto as fazia."

Da mesma forma que Gallagher foi incapaz de balançar Kool, Peruto não conseguiu abalar Sadoff. Ao ser questionado pelo advogado a respeito de haver, em algum momento de sua carreira, cometido algum erro de avaliação, Sadoff respondeu calmamente que, em alguns casos, tribunais discordaram dele. "Mas não estou certo se o erro foi meu ou de outra pessoa."

Embora fossem apenas 15h45, 45 minutos antes do horário de encerramento usual, a juíza Abraham estava tão satisfeita com a maneira que o julgamento transcorria, que já planejava iniciar o fim de semana. Mesmo que inicialmente tivesse considerado sessões aos sábados, as coisas iam tão bem, que ela abandonou a ideia.

Porém, antes da dispensa, pegou um documento e leu para registro: o resultado do teste de QI aplicado em Heidnik em 16 de março de 1987, nove dias antes de ele ser preso. O teste era parte de uma bateria de exames demandada pelo juiz Levin da Vara de Família. Ela disse que Heidnik marcou 148 pontos.

Assim, a juíza Abraham violou sua própria proibição a respeito de resultados de testes, aplicada contra Apsche quando este tentou ler alguns documentos para os jurados. A juíza não mencionou que o teste no qual Heidnik marcou 148 pontos é considerado pelos especialistas como inferior em relação ao teste no qual Heidnik marcou 130 duas dezes. Apsche tinha tentado mostrar o teste de 130 ao júri, além dos resultados dos testes feitos para determinar se Heidnik fingia seus sintomas.

A juíza Abraham anunciou sua decisão de não remover o testemunho de Apsche. Se fizesse, disse, "seria um golpe que a defesa não precisava". Peruto não agradeceu.

48
INVESTIMENTOS
27.06.1988

Quando os psiquiatras concluíram os depoimentos principais, a tensão na sala foi embora, feito um balão de ar quente. O fim estava à vista agora, e todos pareciam aliviados. Quando os jurados foram chamados, a mudança era evidente. Todos já tinham um ar primaveril, pareciam quase alegres. Seis homens usavam gravatas. Gary Heidnik também sentiu. Mais cedo ele tinha aparecido com uma camisa azul de manga comprida, cuidadosamente abotoada nos punhos. Apesar de ser vários números maior, estava limpa e passada. Era a primeira vez em quinze meses que não vestia sua camisa havaiana desbotada durante uma aparição pública. Até o clima estava cooperando. Outra frente fria se aproximava no fim de semana, e a temperatura dentro da sala 653 atingia seu patamar mais agradável desde o começo das audiências.

Mas, antes de o júri ser convocado, como de costume, havia questões de procedimento a serem barganhadas.

Charles Gallagher disse à juíza Abraham que, para encerramento da réplica, pretendia chamar alguém para testemunhar que Heidnik mandou colocar grades nas janelas do porão da casa em 1985. Segundo o promotor, indicava que Heidnik estava planejando os sequestros desde essa época.

Abraham fez um gesto negativo. "Acho que você está exagerando", disse. Foi uma de suas raras negativas à acusação.

Gallagher também queria chamar outra vez o tenente da polícia James Hansen para testemunhar sobre os livros que a polícia encontrou nas buscas na casa de Heidnik.

"Que livros?", Abraham perguntou.

"Um deles era Lei Criminal Resumida", disse Gallagher. "Outro era sobre psicologia anormal. E outro sobre como comprar ações. Tinha um sobre a agência de detetives Pinkerton, e uma lista telefônica de Nova York."

Peruto objetou. "Alguns desses títulos podem prejudicar o réu", argumentou. "Além disso, não há qualquer indicação de quando comprou os livros. Se a acusação pode ser seletiva, eu gostaria de mostrar outras coisas encontradas na casa."

"Tudo bem", Gallagher respondeu. "Vou trazer mais uma dezena de caixas pra cá também."

"Qual é a relevância?", Abraham queria saber.

"Para provar que ele é um farsante criminoso", disse Gallagher.

No fim das contas, Gallagher não apresentou os livros nem chamou o ferreiro que instalou as grades nas janelas.

O promotor não era o único com testemunhas vetadas. Peruto disse à juíza que gostaria de chamar Betty Heidnik, mas Abraham recusou.

"Não há benefício para seu cliente em trazer essa mulher", a juíza disse. "Seu cliente é muito perigoso para as mulheres, e essa testemunha poderia ser muito prejudicial. Não vou permitir que ela fale como ele é perigoso."

"Como advogado, não sinto que seja prejudicial", Peruto argumentou. "Acho que ajudaria."

"Tornaria a sua defesa inútil", Abraham rebateu. "Mostraria o réu como frio e calculista. Não o ajuda em nada. A única coisa que prova é que ele consegue ser um assassino impiedoso."

"É prejudicial *não deixar* ela vir", Peruto insistiu.

"Você jogaria fora sua estratégia de insanidade", disse a juíza Abraham. "Seria melhor se declarar culpado de uma vez. Mostraria que ele é um assassino de sangue frio e calculista. Não auxiliaria sua tese, a mataria."

"Se a promotoria tem o direito de apresentar médicos e relatórios... Eu não posso simplesmente aceitar", Peruto disse. "O júri tem o direito de ver tudo. Eles precisam ver a coisa toda."

Após a discussão, Betty Heidnik não foi chamada. Refletindo a respeito, Peruto admitiu que teria prejudicado sua defesa. Além de relatar os abusos que sofreu, poderia dar detalhes da promiscuidade de Heidnik, prejudicando, assim, o argumento de que fazia sexo com as mulheres do porão apenas para reproduzir.

Isso não significou a redução de testemunhas de última hora. De repente, nove pessoas passaram pela tribuna durante a réplica da acusação, para alimentar a tese de Gallagher a respeito da sanidade mental de Gary Heidnik. Entre elas, estavam o corretor de Heidnik, uma ex-namorada de Heidnik, o gerente da revenda Cadillac, o psicólogo que examinou Heidnik em março de 1987 — pouco antes de ele ser preso — e um psiquiatra de uma clínica da Administração dos Veteranos que atendeu Heidnik três vezes no período de quatro meses em que manteve as reféns.

Quando Robert Kirkpatrick foi para a tribuna, Heidnik passou por uma notável transformação. Até então, durante o julgamento, Heidnik tinha mostrado pouco interesse por depoimentos e argumentos. Às vezes, conversava com Peruto, mas, na maior parte do tempo, ficava olhando para a parede atrás da cadeira da juíza, enquanto balançava a cadeira, impulsionando para a frente e para trás, usando os dois pés do móvel que ficam abaixo do apoio para as costas. No entanto, quando seu antigo corretor foi para a tribuna, Heidnik ficou animado. Quando o representante do Merrill Lynch falou, Heidnik escutou. Atentamente.

Kirkpatrick se tornou o corretor de Heidnik por ter sido quem atendeu ao telefone quando ele ligou, em dezembro de 1974. Segundo o corretor, a pessoa que ligou se identificou como "bispo Heidnik" e disse que estava interessado em abrir uma conta. Várias semanas depois, ele deu continuidade à conversa, por meio de carta. Nela, havia um cheque de 1,5 mil dólares. A conta foi aberta em 21 de março de 1975, em nome da Igreja Unida dos Ministros de Deus.

Nos doze anos seguintes, disse Kirkpatrick, ele viu Heidnik pessoalmente umas quatro vezes, porque normalmente resolvia tudo por telefone ou correio.

"Mais alguém controlava a conta?", Gallagher perguntou.

"Não", respondeu Kirkpatrick.

O corretor apresentou uma folha mostrando como a conta cresceu exponencialmente. Em 27 de outubro de 1979, o saldo era de 21 mil dólares. Em 31 de julho de 1982, tinha crescido dez vezes, para 256 mil dólares. No mês de maio, outro salto, para 361 mil dólares. Nos dois anos seguintes, houve uma elevação discreta. Mas, em 28 de novembro de 1986 — dois dias após Heidnik capturar Josefina Rivera e um dia antes de pegar Sandra Lindsay —, o saldo era de 545 mil dólares.

Kirkpatrick declarou que, durante a maior parte do tempo, Heidnik era um investidor entusiasmado, que o contatava com frequência. Em maio de 1983, ele escreveu para Kirkpatrick, lembrando a ele do desconto de 35% da igreja. Em outro momento, ele repreendeu Kirkpatrick por não transferir 60 mil dólares de uma conta inativa para a conta ativa, para que rendesse.

"Ele alguma vez perdeu dinheiro em ações da Crazy Eddie?", Gallagher perguntou.

"Não, não perdeu", Kirkpatrick respondeu.

"Que tipo de investidor ele era?"

Peruto objetou, mas a juíza Abraham negou.

"Um investidor astuto", o corretor disse.

Kirkpatrick causou enormes prejuízos à defesa. A imagem que ele pintou de Heidnik foi de um investidor entusiasmado e esperto que sabia agir. O melhor caminho para Peruto era tentar mostrar que, por dentro, Heidnik não era tão racional quanto aparentava externamente.

"Ele, alguma vez, disse a você que estava criando dez bebês no porão?"

Kirkpatrick admitiu que não.

"Se ele tivesse dito, o que você faria?"

"Teria reportado a meus superiores imediatamente e sugerido que a conta fosse encerrada."

"Sempre que vocês se encontravam, ele estava com a mesma roupa?"

"Você quer dizer o mesmo estilo?"

"Não, quero dizer a mesma roupa."

"Não faço ideia", Kirkpatrick disse, explicando que havia um grande intervalo de seis anos entre os encontros.

Peruto também quis esclarecer a questão sobre a Crazy Eddie: "Quando você diz que ele não perdeu dinheiro com a Crazy Eddie, você quer dizer que ele não vendeu quando as ações estavam em baixa?"

"Sim."

"Mas, se tivesse vendido, ele teria tido um prejuízo considerável?"

"Sim."

Kirkpatrick tinha prejudicado um bocado a alegação de insanidade planejada por Peruto. E a testemunha seguinte de Gallagher também, Shirley Carter, uma ex-namorada.

Carter tinha 40 anos e paralisia cerebral, e declarou que manteve uma relação de natureza sexual com Heidnik no período anterior à prisão até pouco depois de sair, em 1983. Em seu depoimento, falou que Heidnik era muito inteligente, frequentemente dizendo a ela como investir dinheiro e que tipo de ação comprar. "Ele me contou até como criar uma igreja pra não precisar pagar impostos", mencionou Carter.

"Ele alguma vez fez algo estranho?", Gallagher perguntou.

"Na verdade, não", Carter respondeu.

A prova com maior potencial de estrago contra Heidnik não foi mencionada. Em uma pasta na mesa a sua frente, Gallagher mantinha a cópia de uma carta escrita à mão por Heidnik direcionada a Carter, datada de 9 de junho de 1982. À época, Heidnik ainda cumpria pena.

Iniciando com "Querido docinho", a carta falava basicamente de questões financeiras. Dizia:

"Se as coisas derem certo pra nós, vou receber condicional e aí vão me mandar para Coatesville. Aí você se muda pra lá, vamos ter os dois filhos que estamos planejando (Lisa e Gary Jr.)... quando isso acontecer, vai significar um aumento de mais ou menos 700 dólares na nossa renda por mês... A parte boa é que esse é um dinheiro extra. Ainda vou receber meus 1,8 mil dólares. E isso sem contar o dinheiro das ações. Isso vai render pra nós uma renda livre de impostos de mais de 70 mil dólares por ano. UAU! Se levar em conta que também recebemos outros benefícios, chegamos a 75 mil dólares por ano. UAU! Já que é tudo livre de impostos, é o equivalente a um faturamento de 110 mil dólares por ano para alguém que paga impostos. UAU!! E isso tudo nem leva em conta todos os outros planos que tenho para aumentar nossa renda (por exemplo, ter uns dois pensionistas que ganhem benefícios ou participem de programas de renda extra e que estejam dispostos a ajudar nas coisas da casa, como cozinhar e limpar...). Não me admira que você não tenha interesse em trabalhar. De diversas maneiras, parece que nossa união foi feita no céu..."

O restante da carta tratava de problemas de Carter com sua mãe, de um carro que Heidnik queria comprar para ela, de como ele achava injusta a sentença que o condenou, mencionava sua pontuação em testes de QI ("Passei com um total de 130, que é bem alto") e informava sobre o cartão de crédito que solicitou em uma loja de departamentos. "Se for aprovado, você vai ganhar um belo presente, e Price [filho de Carter] vai ganhar uma tabela de basquete, tenho certeza de que você vai entender que é para Price e não para você (he, he, he)".

Gallagher gostaria de apresentar a carta, contudo a juíza Abraham disse que era antiga demais para se aplicar ao caso atual. Ainda que pudesse ter maculado a alegação de insanidade de Heidnik de um lado, teria ajudado de outro, pois, desde aquela época, Heidnik demonstrava a preocupação em ter filhos. Mais de uma vez na carta, eram citados os planos de terem um filho e uma filha. "...Lisa e Gary Jr. Gosto de escrever os nomes deles", escreveu. Fazia planos para quando fosse libertado: comprar uma casa, arranjar dois inquilinos que recebessem da Previdência Social, para pegar a renda deles e usufruir de seu trabalho braçal. Apsche ou Kool poderiam ter argumentado, de modo convincente, que esses também eram presságios.

49

CLORPROMAZINA

27.06.1988

A princípio, o dr. Richard Hole não queria falar de Gary Heidnik. "Não se preocupe a respeito do pacto médico-paciente", a juíza Abraham disse ao psiquiatra de uma clínica de veteranos na Filadélfia. "Pode se sentir totalmente à vontade para responder às questões."

Hole, nervoso, contou que, na terceira quarta-feira de dezembro de 1986, Heidnik voltou à clínica para se tratar, após dez meses. Ao partir, estava na terapia em grupo e tomava diariamente 200mg de Clorpromazina.

Segundo Hole, Heidnik não estava se queixando de nenhum sintoma "nem demonstrava manifestações de doença esquizofrênica não tratada".

Quando lhe pediram que definisse o problema de Heidnik, Hole disse que ele era um paranoico esquizofrênico, mas que sua doença parecia sob controle.

"Perguntei se estava deprimido", Hole disse, "e ele negou." Negou igualmente que estivesse querendo se matar, paranoico ou sofrendo alucinações. "Ele essencialmente negou toda sintomática psiquiátrica", Hole disse. Mesmo assim, o psiquiatra prescreveu mais Clorpromazina.

Em janeiro e fevereiro, Heidnik voltou, e sua condição parecia ter mudado. Foi o último contato que Hole teve pessoalmente com ele, apesar de dizer que Heidnik telefonou no meio de março. Na ocasião, pediu a Hole que escrevesse para o tribunal, solicitando a renovação dos direitos de visita a sua filha de 8 anos.

Durante questionamento posterior, Hole negou que Heidnik tivesse exibido um sintoma comum da esquizofrenia chamado de "embotamento afetivo".

"Se tivesse acontecido, ele não teria dado um grande sorriso para os outros pacientes, que não encontrava fazia meses."

"Você realizou algum teste que demonstrasse que ele não estava tomando a medicação?", Peruto perguntou.

"Não", respondeu Hole, acrescentando que Heidnik não apresentou quaisquer sintomas de "esquizofrênico fora de controle", o que fez com que presumisse que ele estava tomando Clorpromazina.

"Se ele não tinha sintomas", Peruto perguntou, "por que precisava de medicação?"

"Para prevenir um surto ou reincidência da doença", Hole respondeu.

Mais cedo, Gallagher tinha falado da teoria de que Heidnik não tinha tomado a medicação, como ficou provado com a quantidade considerável de Clorpromazina encontrada na casa dele após a prisão, porque reduziria sua pulsão sexual. Peruto perguntou a Hole se isso era verdade.

A quantidade de Clorpromazina prescrita não afetaria a libido de um homem jovem, Hole disse.

"Espere aí", a juíza Abraham interrompeu. "Não foi pra isso que ele foi chamado. Ele foi chamado apenas para falar de suas experiências com Heidnik entre dezembro e fevereiro."

"Quatro vezes por dia, com quatro mulheres diferentes?", Peruto continuou.

"Objeção", gritou Gallagher.

"Aceita", disse, com irritação Abraham.

"Você tem algum motivo para acreditar que ele era uma fraude, que estava fingindo?"

"Baseando-me nesse período de dezembro, janeiro e fevereiro, diria que não."

"Ele não estava fingindo os sintomas médicos?"

"Correto."

A última grande testemunha da acusação foi Eva Wojciechowski, a psicóloga forense que examinou Heidnik a pedido do juiz Levin. O exame ocorreu em 16 de março de 1987, aproximadamente cinco semanas depois de Sandra Lindsay morrer e dois dias antes de Deborah Dudley ser eletrocutada.

Apesar de Heidnik ter pontuado 148 no teste de QI, Wojciechowski explicou que esse tipo de teste não era tão respeitado quanto o que usa a Escala de Inteligência Wechsler para Adultos, conhecida pela sigla WAIS. Quando Heidnik foi avaliado em 1978, após ser acusado de sequestrar Alberta Davidson e também em três outras ocasiões, ele fez o teste WAIS. Por duas vezes, pontuou 130.

Gallagher perguntou à psicóloga se a pontuação de 148 era comum.

"Apenas 0,5% da população pontua nessa faixa", ela disse. "Uma pontuação dessas indica quase um gênio."

Gallagher explorou a questão o quanto pôde, insinuando que Heidnik seria esperto demais para ser louco.

Quando Peruto interrogou a testemunha, sua primeira pergunta pretendia abalar as bases da teoria de Gallagher de que o estado mental de Heidnik era uma farsa elaborada.

"Existe qualquer indício de que ele estava fingindo?", Peruto perguntou.

"Não", respondeu Wojciechowski, com convicção.

"Qual foi o propósito dos testes?"

"Verificar se ele tinha condições de trabalhar."

"E ele tinha?"

"Considerei que não", informou Wojciechowski. "Os testes mostraram que ele tem fortes tendências agressivas e violentas e que era capaz de perder o controle quando não conseguia o que queria."

"O que você acha que ele queria?"

"Acho que ele queria a guarda do filho."

Embora Gallagher tivesse chamado mais testemunhas do que o esperado, o julgamento seria concluído no prazo. Peruto planejava reconvocar Kenneth Kool na terça-feira para rebater Sadoff, e essa seria sua última testemunha. Após, os dois juristas apresentariam suas alegações finais. O júri proclamaria o resultado na quarta-feira à tarde.

50
ARGUIÇÕES
28.06.1988

A primeira pergunta de Chuck Peruto para Kenneth Kool foi totalmente previsível: "O que diabos tem a ver o QI com a esquizofrenia?".

"Nada", Kool respondeu calmamente. "Esquizofrenia é uma doença mental severa que pode se desenvolver em qualquer um."

"Quando o dr. Hole testemunhou ontem, ele disse que perguntou a Heidnik se ele tinha delírios. Essa é uma questão adequada?"

"Não", Kool respondeu, com um discreto sorriso. "Perguntar a um esquizofrênico se ele tem delírios é meio absurdo. Ele vai responder que não, porque percebe o delírio dele como realidade. Ele vai negar. Perguntar a ele é inútil."

"E quanto à possibilidade de simulação, quando foi consultado por Hole?"

"Se quisesse simular doença, ele teria dito ao médico que tinha todos esses problemas mentais."

Peruto perguntou a Kool se ele achava significante que toda a Clorpromazina prescrita por Hole tenha sido encontrada na casa de Heidnik.

"Torna ainda mais provável que, sem medicação, um sistema fixo de ilusões estivesse presente", declarou Kool.

Peruto queria saber como Kool explicaria os diferentes comportamentos de Heidnik. Como ele conseguia, em alguns momentos, praticar atos racionais — negociar um carro, comprar ações — e agir como um louco em outras ocasiões?

"Seus delírios não envolviam comprar carros ou ações", Kool respondeu. "Eram na área de relacionamento com as pessoas, em especial mulheres e crianças. Nessas áreas, vemos um contraste claro, que é explicado por sua psicose."

Assim que a testemunha foi passada para Gallagher, ele se pôs de pé e perguntou: "Então, Gary Heidnik tem delírios seletivos?".

"Não", respondeu Kool. "Não é esse o termo. 'Seletivo' sugere a habilidade de ativação e desligamento. Heidnik não tinha esse controle."

Gallagher: "O interruptor do delírio estava acionado quando ele estava na casa e desligado quando saía para comprar carros?".

Kool: "Esse homem não revelou seu comportamento delirante para outras pessoas. Faz sentido. Estava escondendo seu comportamento, da mesma forma que fez com os corpos".

Gallagher martelou o conceito de delírio, mencionando a igreja de Heidnik, seu testemunho durante a audiência da pensão com o juiz Levin e o tratamento em Farview, enquanto cumpria sua pena de prisão.

"Esse homem não está fingindo?", perguntou de modo combativo.

"Seeeem chaaaaance", Kool devolveu.

Quando Kool encerrou, a juíza Abraham mandou o júri se retirar. Ela queria definir regras para as alegações finais.

"Não quero que falem de pena de morte", ela disse. "Mas você pode, sr. Peruto, mencionar o termo 'culpado, mas mentalmente enfermo'."

Voltando-se para Gallagher. "Lembre-se disto: você pode dizer que o sr. Heidnik foi liberado de instituições mentais 22 vezes e, portanto, poderia ser liberado novamente."

Para ambos: "Não quero ouvir linguagem inflamada. Não mencionem outros casos. Atenham-se às provas, a inferências lógicas e à sua posição sobre o caso".

A juíza Abraham disse que Peruto falaria primeiro. Ele objetou, mas foi ignorado. Na Pensilvânia, é habitual que a acusação fale por último. Os defensores da tese alegam que isso é justo, pois o ônus da prova cabe à acusação. Todavia, diversos jurisconsultos consideram essa prática uma vantagem indevida para a acusação. "Cada parte pode falar pelo tempo que quiser", Abraham disse.

Peruto tomou a palavra às 11h06. Ele vestia luxuoso terno cinza-claro e gravata vermelha e cinza. A camisa azul tinha as iniciais ACP bordadas em fio escuro, descendo na vertical ao lado dos botões.

"A questão não é se Gary Heidnik cometeu esses atos horrendos", falou suavemente, "mas, sim, se ele é ou não insano. Não estamos negando que essas mulheres foram estupradas, que essas mulheres foram sequestradas, que essas mulheres foram mortas. O que estamos tentando determinar é o nível de culpabilidade do réu. Mesmo que tenha admitido que esses fatos ocorreram, ele não concorda com a acusação de homicídio doloso — a intenção específica de matar."

Caminhando de um lado para o outro rapidamente, em frente aos jurados, Peruto pediu que os jurados analisassem a tese apresentada pela promotoria.

"Digamos que esteja fingindo, que é um falsário, que entrou para o Exército com planos de desenvolver a personalidade paranoico-esquizofrênica para um dia receber por isso... Ele conseguiria enganar todos esses médicos, por todo esse tempo? Ele conseguiria fingir doença mental — esquizofrenia — por 25 anos? É nisso que vocês têm que acreditar. Vocês têm que acreditar que o réu agiu assim durante 25 anos, de modo que, quando fosse pego criando uma família em seu porão, pudesse dizer que é louco. Essa é a tese da acusação. Isso faz sentido?"

A voz de Peruto se tornou mais emotiva. Os jurados permaneciam impassíveis, mas o seguiam cuidadosamente com os olhos.

"Qual era o propósito de Gary Heidnik? Seu propósito era criar crianças, não matar." Segundo nos disse, punia as mulheres por desobediência delas, não estava tentando matá-las. "Estamos diante de um homicídio culposo, em que a intenção era machucar, punir. É um caso de crime preterdoloso: lesão corporal seguida de morte."

Uma das mulheres tinha problemas mentais, lembrou. Uma era analfabeta. Três delas, prostitutas. "Por mais doentio que pareça, eram as suas escolhidas. Essas eram as garotas com quem ele queria reproduzir. Isso demonstra sanidade? É a história de dr. Jekyll e mr. Heidnik. Não é mais provável que ele seja louco do que o contrário?

"Qual estado de espírito humano é necessário para, ao se deparar com carne humana, um ser humano, picotar esse corpo? Cortar a carne. Cortar ossos, embrulhar partes do corpo e pôr no freezer. E depois cozinhar e dar de comer para outras pessoas? A quem estava tentando impressionar com esse delírio?"

A mãe de Sandra Lindsay, sentada na primeira fila da sala do tribunal lotada, começou a chorar. Um parente a segurou pelo braço e a conduziu para fora.

Peruto se exaltou ao falar de Josefina Rivera. "Ela alimentou uma mente doente... ela sabia que ele era doente e o usou em benefício próprio... Ouçam o que disse Lisa Thomas: ela disse que Rivera dava risada enquanto batia nas outras. Que ela batia com ou sem Gary. Lisa inventou isso? Qual sua motivação? Senhoras e senhores, devo dizer que Josefina Rivera atuou de forma criminosa... ela fez uma ou duas coisas que foram longe demais. Ela só deu uma açucarada no plano dele."

Voltando a Heidnik, ele concluiu: "Não quero um veredicto pautado em compaixão. Nem em preconceito... Peço que o considerem inocente, pois se trata de um homem mentalmente insano".

Peruto se sentou. Eram 11h51. Ele tinha falado durante exatos 45 minutos.

A juíza Abraham concedeu ao júri um breve recesso e, em seguida, foi a vez de Gallagher. Eram 12h04 quando ele começou.

Parado solenemente em frente ao júri, Gallagher mexeu no bolso esquerdo do terno e, depois, entrelaçou as mãos em frente a barriga. "Quero que se baseiem em seu bom e velho bom-senso", disse calmamente. "Confiem em seu poder de observação. Acompanhem as provas comigo."

Virando-se rapidamente, ele ergueu o braço e o apontou para Heidnik, que, como de costume, olhava para a parede diante de si, parecendo alheio aos eventos.

"Esse homem", Gallagher disse, erguendo a voz, "cometeu repetidos atos de sadismo e malícia contra seis vítimas. Ele planejou. Ele agiu e tentou esconder. Senhoras e senhores, digo a vocês — e não tenham a menor dúvida disso — que esse homem cometeu homicídio doloso... Está claro que Sandra Lindsay e Deborah Johnson Dudley foram mortas como consequência de estarem naquele porão. Está claro que Gary Heidnik fez isso... foi premeditado. Foi deliberado. Foi intencional."

O que se sabia sobre Heidnik, argumentou, era aquilo que Heidnik dizia a todos. "Nenhum dos especialistas pode ler a mente de alguém. Nenhum deles pode dizer se uma pessoa está mentindo. Mas afirmo que vocês podem. Vocês têm o senso comum necessário, vocês lidam com pessoas todos os dias."

Gallagher disse que Heidnik havia planejado cada um dos sequestros, selecionando as mulheres, "barganhando com elas sexo e comida", sufocando-as, algemando-as e acorrentando-as no porão.

Heidnik matou Lindsay e Dudley "de maneira fria e premeditada", disse, e depois ocultou o corpo de Lindsay, desmembrando-o e cozinhando as partes que poderiam servir para identificá-la — a cabeça e as mãos.

"Não basta que alguém pratique atos bizarros para que a lei considere essa pessoa insana... O que ele fez foi assassinato, premeditado e deliberado."

Assim como Peruto, Gallagher andava de um lado para outro. De repente, parou e olhou atentamente para os jurados. "Rejeitem a tese da defesa", conclamou. "Rejeitem a ideia de que esse homem é legalmente insano. Procurem a verdade, e creio que concluirão que esse homem, Gary M. Heidnik, é culpado além de qualquer dúvida quanto a sua intenção de matar duas garotas."

Quando terminou, eram 12h49. Suas alegações finais, por incrível coincidência, também duraram exatos 45 minutos.

A juíza Abraham olhou para o relógio e anunciou que estava concedendo a todos a tarde de folga. "Preciso preparar o material para instrução do júri", ela disse, avisando que seria longa.

Quando Peruto se sentou, após terminar sua fala, sussurrou na orelha de Heidnik: "Como me saí?". Heidnik meramente grunhiu.

Após a fala de Gallagher, quando Heidnik era conduzido para fora do tribunal, de volta para a cela, ao passar em frente a Gallagher, ele parou e, virando-se para Peruto, disse: "sua fala foi melhor que a dele". Como os jurados já tinham saído, não ouviram nada disso.

51

QUADRO

29.06.1988

Da noite para o dia, a sala 653 se transformou de uma corte em uma classe estudantil. Atrás da tribuna do juiz, onde antes não havia nada, agora havia um grande quadro escolar e um bloco de papel em cavalete. No alto do bloco, estavam os nomes das prisioneiras. O quadro ainda não tinha marcações.

"O que é isso?", Peruto quis saber, se referindo ao equipamento como "cenografia".

"Sempre uso para instruir o júri", respondeu a juíza Abraham. "Se vocês usam tabelas e gráficos para facilitar, por que eu não posso?"

Antes de chamar os jurados, Abraham realizou o ritual matinal de debater de antemão tudo que eles não podiam saber. O tópico daquela manhã era o que foi incluído na denúncia, ou seja, que sugestões havia retirado das listas submetidas por Gallagher e Peruto e outras que deliberou a respeito. Um dos pontos que iria apresentar ao júri era a questão de Josefina Rivera ser tratada como possível cúmplice.

"Eu me oponho", Gallagher disse.

"Ok", a juíza Abraham disse amigavelmente. "Mas creio que é questão para o júri. Não é questão da lei, mas um fato que o júri deve decidir."

Para facilitar o trabalho dos jurados, Abraham explicou, ela tirou os delitos menores da lista: "De todo modo, estão ligados aos crimes maiores".

Eram quase 10h30. "Se alguém precisa sair do tribunal, a hora é agora", o responsável pelo pregão falou. "Ninguém pode entrar ou sair enquanto a juíza instrui o júri sobre as acusações."

Abraham estimou que levaria duas horas. Ela errou por meia hora.

A juíza Abraham estava em glória; uma plateia atenta e a chance de exercitar sua tendência ao pedantismo: "Algumas vezes posso ter de soletrar para vocês palavras que nunca ouviram antes", avisou, com ar superior.

No quadro, ela escreveu: PRESUNÇÃO DE INOCÊNCIA.

"O fato de o sr. Heidnik ter sido preso, o fato de ter sido acusado, o fato de estar sendo julgado, nada disso significa que seja culpado. Sua inocência é presumida."

A mão dela se moveu novamente: ADR, escreveu. "Significa Além da Dúvida Razoável — além daquilo que qualquer pessoa consideraria uma dúvida razoável. Vocês precisam declarar o sr. Heidnik inocente quando o Estado não provou sua culpa... vocês não podem se deixar influenciar pelo fato de que ele não testemunhou... vocês precisam considerar a credibilidade de cada pessoa", disse, escrevendo a palavra CREDIBILIDADE no quadro: "Significa confiança".

Abaixo de CREDIBILIDADE, ela escreveu CONDUTA: "Diz de como você se comporta. É parte da determinação da credibilidade".

Ela escreveu MOTIVO: "Motivo é a razão para testemunhar de um jeito ou de outro", falou, acrescentando um sinal de igual e a TENDÊNCIA ao lado de MOTIVO.

Às 11h25, passada uma hora de instrução, ela fez uma pequena pausa. E ainda não tinha chegado à raiz da questão. Mas, após o intervalo, chegou: "Vocês têm várias opções de veredicto", ela disse. "Uma delas é 'culpado'. Outra é 'inocente'. Outra é 'inocente por motivo de insanidade'. Há também 'culpado, mas mentalmente enfermo'. Por fim, há ainda 'capacidade diminuída', que, na verdade, não é um veredicto, mas uma questão de valoração das provas, que se aplica apenas a homicídios culposos.

"Um veredicto de 'inocente' significa que o Estado não conseguiu provar sua tese... Para emitir um veredicto de 'inocente por motivo de insanidade', vocês deverão primeiro concluir que ele cometeu os crimes, mas era *legalmente* insano... Um veredicto de 'culpado, mas mentalmente enfermo' significa que ele é culpado para além de qualquer dúvida razoável e não é insano, mas mentalmente enfermo."

Ela explicou que *insano* é um termo legal, não clínico. "Médicos usam o termo 'doença mental'."

Para ser considerado legalmente insano, explicou, Heidnik teria de se encaixar nas condições estipulada pela Regra de M'Naghten. "Se, no momento do crime, ele estava, como resultado de doença mental, incapaz de entender a natureza e o caráter de suas ações, ou incapaz de distinguir certo e errado, ele se encaixa na definição legal. Do contrário, não é legalmente insano."

A presença de doença mental, por si só, advertiu, não qualifica alguém como legalmente insano. E, acrescentou, insanidade de acordo com a lei precisa ser demonstrada pela defesa por meio de provas robustas.

"O sr. Heidnik sofria de doença mental ou de defeito mental? Ele sabia o que estava fazendo? Ele era capaz de algo assim? Se sabia que o que estava fazendo resultaria em sofrimento ou morte, ele entendia a natureza de seus atos. Ele entendia que era errado?" Essas são questões que vocês terão de responder, falou.

"Se vocês o considerarem culpado, e o Estado tiver provado que ele é são, porém sofria de doença mental à época, ele pode ser considerado culpado, mas mentalmente enfermo."

Como saber se alguém é mentalmente enfermo? "Se a pessoa carece de capacidade efetiva de entender o caráter errado de sua conduta, ou se é incapaz de evitar isso."

Ela acrescentou que capacidade diminuída é considerada somente em casos de homicídio doloso. "Ocorre quando o réu admite que cometeu o crime de assassinato, mas diz que é inocente porque estava incapacitado de refletir sobre suas ações e, portanto, não tinha a intenção específica de matar." Na prática, desqualifica o homicídio doloso, classificando-o como homicídio culposo. "Caso esteja presente a intenção de matar, e o réu não sofra de uma deficiência mental, trata-se de homicídio doloso."

Após mais um recesso de 45 minutos, ela meticulosamente explicou os graus de homicídio[1].

Homicídio em primeiro grau é o premeditado. É o homicídio por dolo direto. "O assassino tinha o intento específico de matar. Ele é capaz de formular um plano e executá-lo."

"Homicídio em segundo grau, também conhecido como homicídio por dolo eventual. Ocorre quando a morte decorre de outros delitos como incêndio criminoso, roubo ou *sequestro*." Tendo em vista que Heidnik enfrentava múltiplas acusações de sequestro, ela destacou essa palavra. "O Estado não precisa provar nada além de qualquer dúvida razoável que havia intento específico de cometer o homicídio", ela disse.

"Homicídio em terceiro grau é quando não há intenção de matar, mas a intenção de causar lesão corporal."

Ela olhou para o relógio novamente. "Vamos todos nos alongar", sugeriu, levantando-se e abrindo os braços ao máximo.

A instrução estava se aproximando do fim. Nos vinte minutos seguintes, ela falou de todas as outras acusações: estupro, sequestro, atentado violento ao pudor e agressão qualificada.

"Levem o tempo que for necessário", aconselhou aos jurados, "não se apressem". Era uma em ponto. Almocem e, depois, comecem a deliberar, disse, conduzindo-os para fora da sala.

Peruto e Gallagher deveriam voltar depois do almoço, avisou, para olharem a enorme pilha de documentos e determinarem o que seria mostrado ao júri como prova. Só da parte do Estado, havia mais de duzentos itens.

No horário do almoço, dois detentos, descontentes com seu dia e em busca de uma vítima, atacaram Heidnik quando estavam a sós na cela de custódia. Eles bateram até que Heidnik caísse de joelhos e continuaram chutando seu corpo até que, enfim, os guardas ouviram a balbúrdia e os separaram. Ele não teve ferimentos graves. Era a segunda vez desde a prisão que era atacado. Um outro preso já o havia acertado no rosto, quebrando o nariz dele.

---

1 [NE] No Brasil, o homicídio é classificado em culposo ou doloso, com poucas variações por causa de qualificadoras ou privilégios. Nos Estados Unidos, o sistema jurídico é diferente e engloba várias classificações que, inclusive, variam de estado para estado. Por isso, a existência dos graus.

52

VEREDITO

30.06.1988 – 01.07.1988

Esperar nunca é fácil. Enquanto os jurados de Pittsburgh estavam reunidos na sala dos fundos — provavelmente argumentando, discutindo e lendo documentos —, repórteres, familiares das vítimas e um punhado de espectadores curiosos se amontoavam no sombrio corredor do lado de fora da sala 653. Quase todo mundo, incluindo Chuck Peruto, esperava um veredicto rápido. O consenso era que um veredicto rápido seria ruim para Gary Heidnik. Porém, essa pressa não era compartilhada pelo júri. Às 17h30, a juíza Abraham disse aos jurados que encerrassem o dia.

Na manhã seguinte, sexta-feira, Abraham ficou com pena da multidão e abriu as portas do tribunal. Era melhor do que ficar no corredor. Ao menos poderiam esperar sentados no ar-condicionado. Pouco antes do meio-dia, os jurados enviaram um bilhete à juíza Abraham, pedindo instruções adicionais. Isso exigia que todos os participantes se reunissem: Abraham, Gallagher, Peruto e, é claro, Heidnik.

Eles tinham quatro perguntas, Abraham disse:

Quais são os vários graus de homicídio?

Em que data Heidnik passou a receber o valor corrigido por invalidez?

O que é insanidade legal?

O que é doença mental?

Os jurados deveriam decidir sobre a segunda pergunta por conta própria, pois aquela era uma questão factual que o júri deveria lembrar, a juíza Abraham determinou. Para responder às outras questões, convocou todos de volta à sala. Novamente, as portas foram trancadas enquanto ela repassou a versão resumida da instrução apresentada no dia anterior. Levou uma hora.

Após, o júri se retirou para deliberar mais um pouco, e a juíza Abraham olhou para Peruto e Gallagher, dando de ombros. "O veredicto de capacidade diminuída é bobagem", reconheceu, "e o de culpado, mas mentalmente enfermo não é bem escrito. Mas é a lei. Não escrevi a Constituição. O que posso fazer?"

Peruto, que não ficava para trás em termos de frases de efeito, elogiou os jurados de Pittsburgh pela diligência: "O povo da Filadélfia nem mesmo achava que ele merecesse um julgamento", brincou, "muito menos deliberação". Questionado a respeito de uma previsão, sorriu: "Algo menos severo do que homicídio doloso".

Para observadores experientes de julgamentos, o veredicto era iminente. Peruto acreditou tanto que as coisas iam bem que ficou na sala 653 pelo resto da tarde, conversando com repórteres e membros das famílias das vítimas. Mesmo que os familiares inicialmente o tivessem tratado com hostilidade, eles se acalmaram durante o julgamento. Agora, sondavam a respeito da possibilidade de Peruto representá-los em processos contra os hospitais que deram alta a Heidnik. A Filadélfia é uma comunidade bastante litigiosa.

A manhã de sexta-feira passou. Conforme as horas transcorriam, Peruto se animava. Com certeza, não demorariam tanto, pensou, caso não tivessem com dificuldade para chegar a um veredicto.

Por fim, pouco antes das 15h, após umas dezesseis horas de deliberação, ao longo de dois dias e meio, os jurados mandaram avisar que estavam prontos.

"Acho que vai ser culposo", Peruto animadamente sussurrou para um repórter enquanto os participantes se reuniam.

Antes de os jurados serem chamados, a juíza Abraham deu um aviso ríspido aos espectadores. Nada de palmas nem gritos, nada de torcida nem choro. "Não haverá manifestações de agrado nem de desagrado, sob risco de desacato e prisão imediata." Os repórteres também teriam de aguardar até que os procedimentos se encerrassem para saírem da sala.

Quando os jurados entraram, pareciam desanimados, cansados. Embora tenham passado diretamente em frente a Heidnik e Peruto, nenhum deles olhou para mesa da defesa. Era um mau sinal.

Após se acomodarem na área do júri, uma mulher de baixa estatura, de cabelo castanho e rosto em formato de coração, com olhos escuros e inteligentes, se identificou como a representante do júri. Ela era Betty Ann Bennett, enfermeira casada há vinte e dois anos com um policial e moradora do bairro residencial de Pittsburgh. Ela leu a lista de acusações, uma a uma: culpado do homicídio doloso de Deborah Dudley... Culpado do homicídio doloso de Sandra Lindsay... culpado, culpado, culpado. Dezoito vezes culpado: culpado de duas acusações de homicídio doloso, cinco acusações de estupro, seis acusações de sequestro, quatro acusações de agressão qualificada e uma de atentado violento ao pudor. Houve uma absolvição — uma acusação de atentado violento ao pudor envolvendo Josefina Rivera. Eles não forneceram qualquer informação sobre essa conclusão.

Quando Peruto pediu que eles declarassem os votos individualmente, Bennett, Kimberly Higgins (jovem e solteira) e Marcella Lenhart (morena de ar esperto, mãe de três crianças pequenas) pareciam prestes a chorar. Mas um dos jurados, August Manfredo, olhava de modo malicioso para Heidnik cada vez que dizia a palavra "culpado".

Peruto teve mais dificuldade para lidar com isso do que Heidnik. Após a leitura do primeiro veredicto de culpado por homicídio doloso, ele pareceu murchar. Ele levou as mãos à cabeça e ficou olhando para o chão. Heidnik, por sua vez, nem sequer piscou. Ficou sentado, com a coluna ereta, olhando fixamente para a frente, sacudindo as pernas de modo ritmado.

O júri tinha retornado às 15h30. Às 15h53, com o veredicto lido e os jurados apurados individualmente, a juíza Abraham pediu breve pausa.

Enquanto os repórteres se acotovelavam porta afora, correndo em direção a telefones, um funcionário do tribunal foi até Heidnik e perguntou se ele queria um copo de água. "Não", respondeu em voz baixa, ainda olhando fixo para a parede. Em seguida, levantou-se e colocou as mãos para trás para ser algemado. Ainda sem demonstrar emoção, foi conduzido para fora da sala. Quando voltou, lançou um olhar incisivo para a área do tribunal onde os familiares das vítimas tinham se sentado durante o julgamento. Após se sentar na cadeira, olhou por cima do ombro na mesma direção. Era a primeira demonstração de que sabia que eles acompanhavam o julgamento. Seu olhar não era amigável.

Pela lei da Pensilvânia, um júri que chega ao veredicto de culpado por homicídio doloso precisa também definir a pena. Eles têm duas opções: prisão perpétua ou morte na cadeira elétrica. É um segundo veredicto, distinto, e requer outra sessão de deliberação imediata. Mas, antes que pudessem começar, os juristas teriam a oportunidade de falar com o júri novamente, para discutir circunstâncias agravantes ou atenuantes — as razões pelas quais o réu deveria ou não ser condenado à morte. Esse procedimento é conhecido como a 'fase de penalidade'. A juíza Abraham determinou que se iniciaria às 9h do dia seguinte.

Enquanto os jurados caminhavam para fora, outra vez ignoraram Heidnik e Peruto. Alguns veteranos de julgamentos observaram o fato e comentaram que não era bom presságio: eles provavelmente já tinham decidido a punição.

No corredor, os repórteres se amontoavam em torno de Gallagher. "O júri rejeitou a tese de insanidade", disse o promotor, triunfante. "Eles concluíram que esse homem agiu com intenção de matar e o fez com malícia."

Peruto estava em raro momento de abatimento. O júri atuou com emoção, não foi racional, declarou. "Não há a mínima prova de homicídio doloso. Não tenho a menor dúvida quanto à insanidade de Gary Heidnik."

53

SENTENÇA

02.07.1988

No sábado pela manhã, a manchete com letras garrafais de quase dois centímetros no topo da primeira página do *Inquirer* anunciava: HEIDNIK CONDENADO POR ASSASSINATO. E, em letras menores, *A alegação de insanidade foi rejeitada pelo júri.* Isso quase garantiu um bom público na sessão de anúncio da pena, apesar de ter ocorrido numa manhã de sábado, no meio de um dos feriados estendidos mais populares do país.

Antes de o júri entrar na sala, Gallagher se levantou para fazer uma de suas objeções mais veementes ao longo de todo julgamento. Ele questionou a decisão da juíza Abraham de permitir que Peruto fosse o último a falar antes de o júri começar a deliberar. "A posição do Estado é que o Estado sempre fala por último", afirmou.

"Nesse caso, o Estado não sai prejudicado por falar primeiro e deixar que a defesa conclua", Abraham disse. "Está decidido."

Relutantemente, Gallagher se sentou.

"Na fase de penalidade", a juíza disse, virando-se para Peruto, "o réu tem o direito de testemunhar e chamar testemunhas, incluindo a esposa dele. Ele quer testemunhar?"

"Não, meritíssima", disse Peruto.

"Ele quer chamar alguma testemunha?"

"Não", Peruto repetiu.

Mais cedo, Peruto mencionou que considerava chamar Betty Heidnik. Ela apareceu no tribunal naquela manhã, a primeira vez desde o começo do julgamento — uma mulher atraente, de pele morena, discretamente vestida, escondida por trás de grandes óculos escuros. Ela se sentou ao fundo, junto ao dr. Clancy McKenzie, e foi embora antes de o júri voltar para o veredicto final. Peruto disse que tinha decidido não a ouvir, temendo mais prejuízos que benefícios com o depoimento.

Com as formalidades resolvidas, o júri foi chamado. Os jurados pareciam mais descansados, contudo, ainda era visível o desgaste dos últimos dias. Eles estavam pálidos e abatidos, como se odiassem o trabalho que tinham pela frente. Um dos homens entrou caminhando como se estivesse atravessando um campo minado; como se o menor deslize pudesse terminar em desastre.

Gallagher iniciou as alegações finais às 9h31: "A lei não é simples, mas é clara. Se vocês concluírem, por decisão unânime, que existem circunstâncias agravantes e nenhuma atenuante, a decisão deve ser pela pena de morte".

Vestido com terno cinza discreto e camisa branca, Gallagher caminhava lentamente em frente à divisória dos jurados.

"Vocês já determinaram que havia intento específico de matar Sandra Lindsay", ele disse. "Ela estava acorrentada, algemada e nua. Ficou pendurada pelo pulso por um período de oito a 24 horas. Ela não só possuía deficiência intelectual, mas também dificuldades para engolir. Ela sofreu com a fome e a desnutrição. As provas indicam que foi espancada enquanto estava pendurada lá... Gary Heidnik deu sorvete para as outras garotas enquanto Sandra Lindsay estava pendurada. Ele disse que ela estava fingindo — uma palavra que ele conhece bem."

"No caso de Deborah Dudley", prosseguiu, "ela foi torturada. Ela foi levada até o andar de cima, onde foram lhe mostrados os restos do corpo de Sandra Lindsay, e foi dito que se comportasse ou teria o mesmo destino. Ela foi espancada repetidas vezes, a cabeça dela foi enrolada com fita adesiva, e uma chave de fenda foi enfiada nos ouvidos." E, depois, acrescentou, ela foi morta.

"Não sejam lenientes e piedosos com esse homem", pediu a eles. "Baseiem-se nas provas."

Seu discurso durou dezessete minutos. Era a vez de Peruto.

"Antes de condenar alguém à morte, acredito que você deva contar a história toda", ele começou. "Não posso argumentar sobre o que eu acho. Não posso argumentar com o que o dr. Apsche acha. Posso argumentar apenas através das provas."

"Olhem para ele", se virou, apontando para Heidnik, que parecia alheio a toda a situação. "Ele está entupido de Clorpromazina. O comportamento dele hoje não é o que era entre novembro e março. Quando se materializou, se materializou *por completo* a intenção de matar uma delas..."

A juíza Abraham interrompeu. "Você não pode argumentar isso. Não a essa altura. Já foi definido."

Atordoado, Peruto baixou os olhos e segurou a ponte do nariz entre o polegar e o indicador. Ele ficou daquele jeito por quatro ou cinco segundos, parecendo derrotado. Erguendo a cabeça, virou-se para os jurados e disse suavemente: "Só espero que vocês façam a coisa certa e não se baseiem apenas em regras e procedimentos". Em passos lentos, voltou a sua cadeira e se sentou. Ele tinha demorado apenas quatro minutos.

A juíza Abraham levou 23 minutos repassando os detalhes das deliberações com os jurados antes de os deixar considerar as opções.

Quinze minutos após o júri sair da sala, um funcionário do tribunal sussurrou que tinham pedido almoço. Tudo indicava que seria outro longo dia. Peruto, sempre otimista, previu que eles não chegariam a um veredicto antes da noite de domingo e que a juíza os dispensaria e definiria a pena de várias prisões perpétuas consecutivas.

Ele estava errado. Às 12h10, apenas uma hora e 55 minutos após começarem a deliberar, mandaram avisar que tinham um veredicto.

Após Heidnik ser trazido de volta e sentar em sua cadeira, Peruto se virou e olhou para ele com olhar de dúvida. Heidnik apenas deu de ombros.

Betty Ann Bennett, parecendo mais abatida do que nunca, se levantou e anunciou as decisões: pena de morte pelo assassinato de Sandra Lindsay; pena de morte pelo assassinato de Deborah Dudley.

"Agradeço pelo seu serviço, não por sua decisão", a juíza Abraham disse rapidamente.

Heidnik, assim como no dia anterior, não demonstrou emoção. Peruto estremeceu, cruzou os braços sobre a mesa e baixou a cabeça. Ele ficou assim por quase um minuto. Gallagher suspirou, aliviado.

Os espectadores haviam sido alertados quanto a demonstrações de qualquer tipo, então, não houve nada muito ostensivo. No entanto, uma das irmãs de Lindsay chorava silenciosamente.

Peruto se levantou e pediu à juíza Abraham que ela determinasse o isolamento de Heidnik na prisão: "Se ele for deixado com os demais presos, a pena do júri será executada imediatamente".

"Se o seu cliente quiser se matar, ele vai. A administração da prisão não quer que isso aconteça, mas eles também não querem presos matando outros presos. Não tenho a autoridade para determinar que ele seja confinado em isolamento, mas vou sugerir que o observem com cuidado quanto a suicídio e que o abriguem de maneira adequada."

Para dar celeridade ao processo, ela imediatamente condenou Heidnik à morte pelo assassinato de Lindsay e definiu uma data para dali a três meses para o prolatar a condenação pelo assassinato de Dudley.

Do lado de fora, Denise Dudley disse aos repórteres que estava satisfeita com o veredicto: "Minha irmã pode descansar em paz. Conseguimos o que a gente queria".

A mãe de Lindsay, Jeanette Perkins, disse que estava feliz com o encerramento. "Estou feliz com o que aconteceu porque ele também condenou minha filha à morte."

54
ESPERANDO
Jul.1988

Gary Heidnik passa a maior parte do dia sentando na cela, olhando para as paredes. Às vezes, segundo os carcereiros, lê a Bíblia. Não havia muito mais que pudesse fazer. Suas antigas atividades recreativas são coisa do passado. Nada de videogames. Nada de filmes. Nada de carros. Nada de mulheres.

Como foi condenado à pena de morte — e vive sob constante ameaça de violência por parte de outros detentos —, as autoridades do Instituto Correcional Estadual em Pittsburgh o mantêm isolado. O detento número F1398 fica confinado sozinho em uma cela minúscula que compõe o bloco denominado unidade de alojamento restrito. Deve haver uns cem outros homens nessa unidade. Alguns deles são, assim como Heidnik, assassinos aguardando execução. Alguns são informantes, colocados lá para sua própria segurança. E alguns simplesmente são pessoas más. Más demais e, de modo geral, inadequados para ficar em companhia de outras pessoas. Por um motivo ou outro, todos ficam segregados.

Mas, mesmo em meio a um grupo como esse, Heidnik recebe atenção especial. Quando toma banho, toma banho sozinho. Se vai se exercitar, exercita-se sozinho. Ele come as refeições em sua cela. Sozinho.

O isolamento é uma forma distinta de castigo. Mas seu castigo é também sua proteção. A caminho da prisão em Pittsburgh, Heidnik foi momentaneamente deixado com outros detentos no ônibus. Assim que os guardas viraram as costas, eles o atacaram e ainda estavam batendo nele quando os guardas voltaram correndo para apartar. Esse tipo de incidente, na gíria da prisão, é conhecido como "arregaçar". Apesar de Heidnik não ter ficado gravemente ferido, quando os outros detentos terminaram, ele tinha entendido o recado.

Por outro lado, ninguém o enfiou em um buraco. Ninguém o espancou com um cabo de pá. Ninguém perfurou seus ouvidos com chave de fenda. Ninguém o ligou numa corrente elétrica para ver se ele brilhava como um holofote de estádio de futebol. Pelo menos, ainda não. É irônico que sua punição definitiva coincida com a última forma de maus-tratos imposta a uma das mulheres que sequestrou. Se for eletrocutado, vai morrer do mesmo modo que a segunda vítima, Deborah Dudley, morreu.

É irônico, também, que tenha sido encaminhado para a prisão em Pittsburgh. Do outro lado da parede, vivem os homens e mulheres que o condenaram; os homens e mulheres que Heidnik veio do outro lado do estado escolher para ouvirem sua defesa. Inicialmente, ele foi enviado para a principal prisão do estado, em Graterford, próxima à Filadélfia, para duas semanas de testes, análise e processamento. Se o povo na prisão descobriu alguma coisa, não divulgou. Provavelmente, nada que já não tenha sido exposto antes. Heidnik é um mestre em ocultar.

Há 1.600 homens no Instituto Correcional em Pittsburgh, e, em maior ou menor grau, todos sentem falta de sua liberdade. Alguns momentos reforçam esse sentimento, mas, em nenhum, fica mais evidente que nas tardes de domingo, no outono e no começo do inverno, quando é possível ouvir o público torcendo no estádio pelos Steelers. Isso, sem dúvida, traz fortes lembranças da liberdade perdida. Um som melancólico. É o equivalente urbano ao que acontece com os amantes da natureza quando escutam os animais da floresta. Eles ainda se lembram de como era torcer por um time. Beber uma cerveja. Ficar com uma mulher.

Ninguém mencionou nada sobre Heidnik ser fã de futebol americano. Depoimentos indicavam que ele raramente bebia e sempre com muita moderação. Mas as mulheres! Gary Heidnik tinha ao menos uma mulher em casa, sempre.

Por outro lado, talvez pensamentos de liberdade sejam algo efêmero para Gary Heidnik. Ele sempre esteve em uma instituição ou outra, desde os 14 anos de idade. Tudo começou quando ele assumiu a rígida disciplina do colégio militar. Mais tarde, foi para o Exército. O fato é que ele não queria deixar o Exército. Depois, não quis sair dos hospitais. Talvez agora tenha encontrado um lar atrás das grades. Ao menos um psiquiatra que o tratou durante sua longa jornada de hospitalizações notou que Heidnik tinha sido internado excessivas vezes. Agora, ele está definitivamente internado.

Mas, dessa vez, não é no Exército. Nem em um hospital de onde possa sair por conta própria, contrariando os conselhos médicos. Ele não está sequer em Farview, ou em uma das instituições onde sua namorada costumava visitá-lo, para que transassem no banheiro feminino, no elevador, na moita. Agora está em uma prisão de verdade. Não é nenhuma tortura, mas quase.

Uma última ironia: apesar de sua detenção, ele continua recebendo 1.212 dólares todo mês da Administração dos Veteranos e outros 708 dólares da Previdência Social. O dinheiro vai para uma conta sob controle dos tribunais. Ele não pode gastar.

Alguns repórteres escreveram pedindo entrevistas, mas ele as recusou. Enquanto ainda estava em Graterford, recebeu duas visitas: Betty e seu filho JJ. Se eles viajarão até o outro lado do estado para vê-lo outra vez, é uma questão em aberto.

É nula a perspectiva de Gary Heidnik algum dia deixar a prisão. O melhor que pode esperar é ter as penas de morte revogadas ou talvez ser transferido para um hospital psiquiátrico. Se conseguir viver o suficiente para isso. Alguns acham que não viverá. Entre esses, está Chuck Peruto.

Após as alegações finais, mas, antes de o caso ir a júri no mês de junho anterior, Peruto, carrancudo, acomodou-se atrás de uma mesa de pedestal de mármore em seu escritório e compartilhou seus pensamentos melancólicos. Ele tinha se dado conta de que, no que se referia a receber clemência, Gary Heidnik tinha as mesmas chances de um floco de neve no inferno. *Mesmo que* não tivesse sido condenado a morrer, Heidnik estava no fim da linha, Peruto disse.

"Vou fazer uma previsão", ele arriscou. "Prevejo que Gary Heidnik vai se matar. Prevejo que ele morrerá antes mesmo do seu livro chegar às livrarias."

A questão que ninguém foi capaz de responder — na verdade, ninguém sequer mencionou — era porque Gary Heidnik estava à solta, para começo de história. Dez anos antes, o juiz Mirarchi pressentiu a catástrofe iminente e prendeu Heidnik pelo tempo que pôde. Depois, outros psiquiatras recomendaram que não fosse liberado. Certamente, despertou a atenção de policiais e de autoridades em saúde mental mais de uma vez. E, ainda assim, não foi confinado.

Parte do problema, sem dúvida, é resultado da tensão que existe entre os tribunais e os profissionais de saúde mental. Não houve qualquer discordância no julgamento de Heidnik quanto ao fato de que a psiquiatria é uma ciência inexata. Mas, visto sob a luz do que aconteceu, esse termo se torna sem sentido. Dizer que a maioria das conclusões a respeito de Heidnik foi "inexata" é um eufemismo tremendo. Dizer que tinham se baseado em ciência é ainda mais absurdo. Se opiniões tão diversas estão entre o que de melhor essa "ciência" pode oferecer, só há uma conclusão: decidir o grau de doença mental de alguém é um jogo de adivinhação.

As demandas do sistema de justiça criminal contribuem para a confusão. A lei quer parâmetros absolutos. E a psiquiatria não pode os produzir. Infelizmente, a solução não está no horizonte. Vinte e seis estados ainda usam a Regra de M'Naghten como teste formal para avaliar legalmente a sanidade. A decisão contra M'Naghten foi promulgada 145 anos atrás. Desde então, ao que parece, não houve avanços suficientes na psiquiatria para que se criasse um indicador mais confiável sobre o estado mental de uma pessoa. *Simplesmente não sabemos* o que faz um homem agir como Gary Heidnik. Ainda mais assustadora é a compreensão de que ninguém — nem a polícia, nem os tribunais, nem os especialistas em saúde mental — sabe quantos Gary Heidniks existem por aí.

EPÍLOGO

Posteriormente:

- Josefina Rivera, Lisa Thomas, Jacquelyn Askins e Agnes Adams retomaram sua vida pré-Heidnik. Todas as vítimas e também Betty, a ex-esposa de Heidnik, são protegidas de repórteres por uma barreira de advogados que elas contrataram para conseguir parte do dinheiro da conta do Merrill Lynch.

- A repórter Maria Gallagher, do *Philadelphia Daily News*, telefonou para Michael Heidnik, o pai de Gary, perguntando-lhe se queria saber qual era o veredicto do processo do filho. "Não estou interessado", disse. "Não me importo. Não me importo nada. Só quero que as pessoas me deixem em paz. Não quero saber o que acontece."

- Chuck Peruto passou do julgamento de Heidnik direto para outro caso de homicídio. Ele se lembrava do julgamento com certa amargura, alegando que a juíza estava muito impressionada com a crueldade dos atos de Heidnik para enxergar com objetividade as provas de insanidade. Ele encaminhou a apelação, citando supostos erros da juíza Lynne Abraham em, entre outras coisas, permitir que o promotor Gallagher apresentasse material das testemunhas de Peruto, Jack Apsche e Kenneth Kool, enquanto o advogado de defesa foi proibido de apresentar. Apesar dos esforços, estava pessimista quanto às chances de um segundo julgamento: "Heidnik já teve sorte em ser julgado uma vez", comentou cinicamente, "não há chance de acontecer de novo".

- Charles Gallagher continuou a demonizar Heidnik. "Se Gary Heidnik é louco?", disse, repetindo uma pergunta. "Louco feito uma raposa no galinheiro! Ele tem algum transtorno de personalidade. Um problema médico. Mas não é legalmente insano. Ele definitivamente não está sofrendo de nenhuma doença mental grave." Sua vitória podia ser atribuída a quê? "Acredito que destruí a credibilidade de todas as supostas provas apresentadas pela defesa." Em diversas entrevistas depois do julgamento, Gallagher insistia em dizer que era o único que conhecia o "verdadeiro" Heidnik, mas o sistema o restringia tanto que ele não poderia apresentar "a história toda". Ele e o tenente da polícia James Hansen estavam considerando escrever um livro sobre o caso.

- Tony Brown, o amigo e antigo motorista de Heidnik, foi posto em liberdade. Duas semanas após a condenação de Heidnik, a pedido de Gallagher, o juiz Charles L. Durham arquivou todas as acusações contra ele.

- O juiz de falências federais não deve tomar qualquer decisão sobre o complicado caso antes de 1989. Além das vítimas, o Corpo da Paz solicitou parte dos fundos, e o Imposto de Renda está verificando a possibilidade de a maior parte do dinheiro ir para o governo, por impostos devidos. Esses processos podem incorrer na questão da legitimidade da igreja. Gary Heidnik tinha motivação religiosa? Era apenas um esquema para se livrar de impostos? São questões que não foram abordadas no julgamento criminal.

- A juíza Lynne Abraham recusou entrevistas a respeito do caso de Heidnik, citando o risco que representaria ao processo de apelação. Gallagher, falando da juíza: "As decisões foram sempre equilibradas. Ela foi uma boa juíza, no sentido de que eu queria fazer algumas coisas em nome do Estado, e ela não permitiu." Peruto: "Se fosse qualquer outro juiz, havia chance de eu vencer".

- O dr. Jack Apsche começou a trabalhar em outro caso de Peruto e estava fazendo planos de estudar Direito.

- O dr. Clancy McKenzie estava tentando encontrar um advogado que o representasse em uma ação por difamação contra Peruto, por ter dito que tinha sido um "fiasco".

- Um avaliador oficial contratado pelo município examinou a casa de Heidnik no número 3.520 da rua Marshall e avaliou a residência de três quartos e um banheiro em 3 mil dólares, 12,9 mil dólares a menos do que ele havia pagado em 1983 e 11 mil dólares a menos do que ele ainda devia por ela. Os reparos necessários — incluindo um telhado novo, a substituição de janelas quebradas e o preenchimento de buracos no piso do porão — foram estimados em 15 mil dólares. Em nota separada, o avaliador acrescentou secamente: o valor estimado "não leva em conta a possível resistência do mercado em razão de estigma eventual relacionado aos alegados atos cometidos nas dependências do imóvel pelo proprietário".

Em meio às pilhas de documentos e informações que não foram mencionados no julgamento, um dos mais reveladores era um rascunho datilografado por Heidnik sob o apropriado pseudônimo "Gary Bishop". Intitulado "Novela da Rua Quarenta ou A Vida na Via Lenta", parecia ser o começo de um livro. Tem uma página com o título, uma dedicatória (para Shirley Carter), um prólogo e doze páginas intituladas "Capítulo Um". É sobre a vibrante cultura underground na vizinhança entre as ruas Quarenta e Market Street, próxima ao Instituto Elwyn. Fala sobre os desvalidos — mental e fisicamente deficientes — que dependem uns dos outros para receber apoio, companhia e amor.

Na história, o autor-protagonista, obviamente Heidnik, está reingressando no mundo após mais de quatro anos em hospitais para criminosos insanos. A história conta como ele vai ficar com seu amigo John, provavelmente seu velho amigo, John Francis Cassidy. Na história, o autor passa algum tempo com uma antiga namorada (Carter?). Ele sai para comprar uma van. Vai ver os velhos amigos no McDonald's e se torna próximo do estranho gato de seu anfitrião. É uma história desconexa que não vai para lugar algum. Mas é uma história alegre, não deprimente. Apesar de refletir de modo apurado o que estava acontecendo na vida de Heidnik à época, a história não olha para o passado nem fornece qualquer indicação do que aconteceria no futuro.

Outra informação reveladora foi colhida em uma breve entrevista com Albert Leavitt, psicólogo da Vara Criminal. Os colegas de Leavitt tinham examinado Heidnik duas vezes, submetendo-o a uma bateria completa de testes.

"Você acha que Heidnik é louco?", eu perguntei.

Leavitt se deteve por um momento. "Vamos dizer o seguinte", ele disse. "Se existissem os Jogos Olímpicos da loucura, Heidnik seria medalha de ouro."

Ele não está apenas manipulando o sistema?

"Ele não está manipulando nada. Ele é absolutamente doido."

Na opinião de Leavitt, Heidnik está no mesmo nível de Charles Manson ou Jim Jones, o líder carismático que criou a trágica colônia em Jonestown, na Guiana. Heidnik deveria ser estudado microscopicamente, Leavitt disse, porque ele é o exemplo perfeito de uma pessoa insana conforme a Regra de M'Naghten.

Por 21 vezes, Gary Heidnik adentrou locais para tratamento mental. Foi liberado 21 vezes. Mesmo quando disse que não estava pronto para partir. Mesmo quando implorou para ficar.

A verdade é que Gary Heidnik nunca deveria ter ficado livre. Se algumas das pessoas com quem teve contato — mesmo aquelas que encontrou durante o período de quatro meses em que manteve as reféns — tivessem sido mais perceptivas, um pouco menos reservadas, um pouco menos cínicas, um tantinho menos burocráticas, Sandra Lindsay e Deborah Dudley poderiam ainda estar vivas.

Se o sargento Armstrong tivesse dado mais um passo na investigação sobre o desaparecimento de Sandra Lindsay... Se o policial Aponte insistisse um pouco mais para saber o que Heidnik estava cozinhando para o jantar... Se o dr. Hole tivesse sido um pouco mais curioso em seu exame, menos ansioso em empurrar uma receita médica... Se o juiz Levin, durante a audiência na Vara de Família, tivesse seguido seus instintos um pouco mais... a história poderia ter tido um final diferente[1].

---

1 [NE] Gary Michael Heidnik foi executado em 6 de julho de 1999 com injeção letal.

Vocês ouviram o
aos antigos:
E ainda: "Quem
sujeito a

que foi dito
"Não mate."
matar estará
julgamento."

— *Mateus 5:21*

CRONOLOGIA PORÃO DO TERROR

Name *Gary M. Heidnik*

Number *5 1 3 9 8*

1986

26/novembro
Gary Heidnik oferece a Josefina Rivera 20 dólares em troca
de sexo, leva-a para casa e a torna sua primeira prisioneira.

29/novembro
Sandra Lindsay, uma velha amiga de Heidnik,
é capturada e se junta a Rivera no porão.

22/dezembro
Heidnik apanha a adolescente Lisa Thomas, atraindo-a com
um cheeseburger e roupas de grife, e a tranca no porão.

1987

1º/janeiro
Deborah Dudley se torna a quarta refém.

18/janeiro
Jacquelyn Askins, de 18 anos, se torna a integrante
mais jovem do terrível harém.

1987

07/fevereiro
Sandra Lindsay morre. Heidnik desmembra o corpo;
tenta destruir as partes através de cozimento.

18/março
Deborah Dudley é eletrocutada. Heidnik guarda o corpo
dela no freezer do porão, junto de potes de sorvete.

22/março
Heidnik desova o corpo de Dudley, jogando-o
em um parque em New Jersey.

23/março
Heidnik e Josefina Rivera apanham Agnes Adams
e a acrescentam ao grupo de prisioneiras.

24 e 25/março
Rivera escapa e vai até a polícia. Heidnik é preso.

1988

20/junho
Heidnik vai a julgamento por matar Lindsay e Dudley,
também responde a acusações múltiplas de sequestro,
tortura, agressão qualificada, atentado violento ao
pudor e outras mais.

REFERÊNCIA DAS CITAÇÕES

68. **Aligheri, Dante.** *A Divina Comédia: inferno.* (Editora 34). Tradução de Italo Eugenio Mauro.

22. **Bíblia** Versão Almeida revista e
298. atualizada.Tradução de João Ferreira de Almeida.

232. **Blake, William.** *The Marriage of Heaven & Hell.* Tradução de Enéias Tavares.

110. **Harris, Thomas.** *O Silêncio dos Inocentes* (Record). Tradução de Antonio Gonçalves Penna.

200. **Milton, John.** *Paraíso Perdido* (Editora 34). Tradução de Daniel Jonas.

158. **Poe, Edgar Allan.** "O poço e o pêndulo" (DarkSide Books). Tradução de Marcia Heloisa.

AGRADECIMENTOS

Este livro não teria sido escrito sem a ajuda de Chuck Peruto e seu companheiro, Jack Fognano, que foram além das questões legais e me fizeram enxergar o lado humano de uma história complicadíssima. Por ajudar a me achar em uma cidade que eu não estava familiarizado, devo agradecimentos especiais a Mildred Keil e Hilda Schoenwetter.

Por dividir comigo seus esforços de reportagem, sou especialmente grato a Kurt Heine, do *Philadelphia Daily News*. Por me ajudar a montar este quebra-cabeça, meu agradecimento a Juan Guerra, do Canal 29; a Doris Zibulka e seu pai, Warren Hensman; à equipe do Departamento do Xerife, em especial ao subxerife Jim Lee; à equipe da juíza Lynne Abraham e a muitos outros da prefeitura.

Por me instruir a respeito das particularidades da complexa personalidade de Gary Heidnik, devo agradecimentos especiais a Jack Apsche.

Também sou particularmente grato a Todd Moritz por todo apoio técnico, e a Diana Clark, Mike Webb e Katherine Krell por compartilharem seu conhecimento a respeito de teses de defesa por insanidade. Dicas e conselhos vieram de diversas fontes, mas tenho uma dívida especial com meu editor, Charlie Spicer, além de Betsy Graham, David Snell e Rick Grove.

- -

KEN ENGLADE nasceu nos Estados Unidos em 1938, foi jornalista e escritor. Ficou muito conhecido por sua produção de obras sobre crimes reais. Em seu trabalho de repórter, cobriu a Guerra do Vietnã, incluindo a queda de Saigon. Como escritor, além de *Heidnik Profile: Cordeiro Assassino*, também escreveu *Beyond Reason* (1990), *Deadly Lessons* (1991), *To Hatred Turned* (1993), entre outros. Faleceu em 2016.

Down in a hole, feelin' so small
Down in a hole, losin' my soul
I'd like to fly, but my wings have been so denied
— ALICE IN CHAINS —

CRIME SCENE
DARKSIDE

DARKSIDEBOOKS.COM